HOMER & LANGLEY

E. L. DOCTOROW

HOMER & LANGLEY

Tradução de
Roberto Muggiati

EDITORA RECORD
RIO DE JANEIRO • SÃO PAULO
2011

CIP-BRASIL. CATALOGAÇÃO-NA-FONTE
SINDICATO NACIONAL DOS EDITORES DE LIVROS, RJ

Doctorow, E. L., 1931-
D666h   Homer & Langley / E. L. Doctorow; tradução de Roberto
Muggiati. – Rio de Janeiro: Record, 2011.

Tradução de: Homer & Langley
ISBN 978-85-01-09211-3

1. Collyer, Homer Lusk, 1881-1947 - Ficção. 2. Collyer, Langley, 1885-1947 - Ficção. 3. Excêntricos e excentricidades - Ficção. 4. Ficção americana. I. Muggiati, Roberto, 1937-. II. Título.

11-1160.   CDD: 813
                                               CDU: 821.111(73)-3

TÍTULO ORIGINAL EM INGLÊS:
Homer & Langley

Copyright © 2009 by E. L. Doctorow

Texto revisado segundo o novo Acordo Ortográfico da Língua Portuguesa.

Todos os direitos reservados. Proibida a reprodução, no todo ou em parte, através de quaisquer meios. Os direitos morais do autor foram assegurados.

Editoração eletrônica: Abreu's System

Direitos exclusivos de publicação em língua portuguesa para o Brasil adquiridos pela
EDITORA RECORD LTDA.
Rua Argentina 171 – 20921-380 – Rio de Janeiro, RJ – Tel.: 2585-2000
que se reserva a propriedade literária desta tradução.

Impresso no Brasil

ISBN 978-85-01-09211-3

Seja um leitor preferencial Record.
Cadastre-se e receba informações sobre nossos
lançamentos e nossas promoções.

Atendimento e venda direta ao leitor:
mdireto@record.com.br ou (21) 2585-2002.

Para Kate Medina

Sou Homer, o irmão cego. Não perdi a visão de repente, foi como nos filmes, um lento desaparecer. Quando me disseram o que estava acontecendo, fiquei interessado em medi-lo; na época, encontrava-me no final da adolescência, atento a tudo. O que fiz naquele inverno em especial foi me posicionar, um tanto afastado do lago no Central Park, onde todo mundo patinava no gelo, e ver o que eu conseguia enxergar ou não dia após dia. As casas do lado esquerdo sumiram primeiro, escureceram como se dissolvidas no céu escuro, até que eu não podia mais divisá-las, e então as árvores começaram a perder a forma e depois, finalmente, isso foi por volta do fim da estação, talvez no final de fevereiro, naquele inverno muito frio, tudo o que eu podia ver eram as formas fantasmagóricas dos patinadores flutuando além de mim num campo de gelo, e então o gelo branco, aquela última luz, foi ficando cinzento e todo preto, e toda a minha visão desapareceu, embora eu pudesse ouvir claramente o corre-arranha das lâminas no gelo, um som muito satisfatório, suave e no entanto cheio de significação, um tom mais grave do que se esperaria que as lâminas dos patins fizessem, talvez por terem tangido o baixo ressonante da água sob o gelo, corre-arranha, corre-arranha. Eu ouvia uma pessoa deslizando rapidamente em algum lugar e, então, o rodopio naquele longo *escurraxe*, o momento em que o patinador cravava sua parada, e então eu ria também diante da alegria daquela capacidade do patinador de parar de repente, seguindo corre-arranha e depois *escurraxe*.

Claro que fiquei triste também, mas foi sorte que isso tenha me acontecido quando ainda era tão jovem, sem nenhuma ideia de que seria um deficiente, deslocando-me na minha mente para outras capacidades como minha audição excepcional, que treinei a um grau de acuidade que era quase visual. Langley disse que eu tinha orelhas como as de um morcego e verificou aquela proposição, pois gostava de submeter tudo a um exame rigoroso. Naturalmente, eu tinha familiaridade com nossa casa, todos os seus quatro andares, e podia navegar por cada quarto e pelas escadas para cima e para baixo sem hesitação, sabendo de memória onde estava cada coisa. Conhecia a sala de visitas, o gabinete de nosso pai, a sala de estar de nossa mãe, a sala de jantar com suas 18 cadeiras e a comprida mesa de nogueira, a despensa do mordomo e a cozinha, o salão, os quartos de dormir, eu me lembrava de quantos degraus atapetados existiam entre os andares, não precisava sequer me apoiar no corrimão, alguém que me observasse, se não me conhecesse, não saberia que meus olhos estavam mortos. Mas Langley disse que o verdadeiro teste de minha capacidade de audição aconteceria quando nenhuma memória estivesse envolvida, por isso ele mudou um pouco as coisas de lugar, levou-me para a sala de música, onde pouco antes havia empurrado o piano de cauda para um canto diferente e colocado o biombo dobrável japonês com suas garças na água no meio da sala e, para garantir ainda mais, me rodopiou na porta até que todo o meu senso de direção tivesse sido obliterado, e eu tive de rir porque, você sabe, eu saí direto do meu lugar contornando aquele biombo japonês e me sentei ao piano exatamente como se soubesse onde ele o havia colocado, e eu sabia, eu podia ouvir as superfícies, e disse isso a Langley, Um morcego cego assobia, é assim que ele se orienta, mas eu não precisei assobiar, não é? Ele ficou realmente assombrado, Langley é o mais velho de nós por dois anos, e sempre gostei de impressioná-lo de qualquer jeito que conseguisse. Nessa época, ele já era um universitário, estava no primeiro ano em Columbia. Como você faz isso?, ele perguntou. Isso é de interesse científico. Eu disse: Sinto as formas à medida que empurram o ar, ou sinto o calor das coisas, você pode me rodar até que eu fique zonzo, mas ainda assim vou saber dizer onde o ar está preenchido por algo sólido.

E havia outras compensações também. Eu tinha tutores para minha educação e então, claro, fui confortavelmente matriculado no Conservatório de Música do West End, onde havia estudado desde meus dias de não cego. Meu talento como pianista tornou minha cegueira aceitável no mundo social. Enquanto eu crescia, as pessoas falavam de minha elegância e, seguramente, as garotas gostavam de mim. Na sociedade da Nova York daquela época, um meio que os pais tinham de garantir o casamento de uma filha com um marido adequado era adverti-la, parece que desde o nascimento, a ter cuidado com os homens e não confiar muito neles. Isso foi bem antes da Grande Guerra, quando os tempos das melindrosas e das mulheres que fumavam cigarros e bebiam martínis estavam num futuro inimaginável. Assim, um jovem bonito e cego de uma família de boa reputação era particularmente atraente na medida em que não podia, mesmo em segredo, fazer algo indecoroso. Seu desamparo era muito tentador para uma mulher treinada desde que nascera a, também ela, ser desamparada. Aquilo a fazia sentir-se forte, no comando, podia despertar seu sentimento de pena, podia fazer muitas coisas, a minha cegueira. Uma jovem poderia se expressar, entregar-se a seus sentimentos reprimidos, de um modo que não poderia fazer em segurança com um sujeito normal. Eu me vestia muito bem, conseguia me barbear com minha navalha reta sem nunca me cortar, e, seguindo minhas instruções, o barbeiro mantinha meus cabelos um pouco mais longos do que se usava na época, de modo que quando, em alguma reunião, eu me sentava ao piano e tocava a "Appassionata", por exemplo, ou o "Estudo revolucionário", meus cabelos esvoaçavam — eu os tinha em abundância então, um espesso tufo de cabelos castanhos repartidos ao meio e caindo pelos lados da cabeça. Eram cabelos de Franz Liszt. E se estivéssemos sentados num sofá e não houvesse ninguém por perto, uma jovem amiga poderia me beijar, tocar meu rosto e me beijar, e eu, sendo cego, poderia colocar a mão em sua coxa sem que parecesse ter tido essa intenção, e ela poderia ofegar, mas deixaria a mão ali por medo de me constranger.

Devo dizer que para um homem que nunca se casou sempre fui particularmente sensível em relação às mulheres, muito apreciativo na verdade, e deixe-me admitir logo que tive uma experiência sexual ou duas na época que estou descrevendo, nessa época de minha vida cega na cidade como um belo jovem, não tendo ainda chegado aos 20 anos, quando nossos pais ainda eram vivos e promoviam muitos saraus e recebiam as melhores pessoas da cidade em nossa casa, um tributo monumental à decoração vitoriana tardia, que viria a ser ultrapassada pela modernidade — como, por exemplo, as modas para decoração de interiores de Elsie de Wolfe, uma amiga de nossa família que, depois que foi impedida por meu pai de reformar o local inteiro, nunca mais botou o pé em nossa residência — e que sempre achei confortável, sólida, confiável, com suas grandes peças almofadadas, ou suas cadeiras império, ou seus reposteiros pesados sobre as cortinas nas janelas que vão do teto ao chão, ou suas tapeçarias medievais pendendo de mastros dourados e suas estantes de livros curvilíneas, seus espessos tapetes persas e suas luminárias de chão com quebra-luzes de borlas que combinavam com as ânforas chinesas nas quais quase se poderia entrar... era tudo muito eclético, uma espécie de registro das viagens de nossos pais, e, embora pudessem parecer amontoados para pessoas de fora, a nós pareciam normais e corretos e eram o nosso legado, de Langley e meu, a sensação de viver com coisas marcadamente inanimadas e tendo de caminhar ao redor delas.

Nossos pais iam para o exterior uma vez ao ano, e lá ficavam por um mês, num transatlântico ou outro, acenando do parapeito de algum dos grandes, de três ou quatro andares — o *Carmania*? o *Mauretania*? o *Neuresthania*? —, enquanto a nave se afastava da doca. Eles pareciam tão pequenos lá em cima, tão pequenos quanto eu me sentia com a babá apertando minha mão e o apito do navio soando a meus pés e as gaivotas voando em roda como se em celebração, como se algo realmente maravilhoso estivesse acontecendo. Eu costumava me perguntar o que acontecia com as pacientes de meu pai enquanto ele estava fora, pois ele era um proeminente médico de mulheres e eu temia que elas adoecessem ou talvez morressem, esperando por sua volta.

Mesmo quando meus pais estavam percorrendo a Inglaterra, ou a Itália, ou a Grécia, ou o Egito, ou aonde quer que fossem, sua volta era pressagiada por coisas em caixotes entregues na porta dos fundos pela Railway Express Company: antigos azulejos islâmicos, ou livros raros, ou fontes em mármore, ou bustos de romanos com o nariz ou as orelhas faltando, ou armários antigos com cheiro fecal.

E então, finalmente, com grande alvoroço, lá, depois que eu quase já os havia esquecido, chegavam papai e mamãe em pessoa, descendo do cabriolé em frente a nossa casa e carregando nos braços tesouros que ainda não os haviam precedido na chegada. Não eram pais totalmente descuidados, pois sempre havia presentes para Langley e para mim, coisas que realmente empolgavam uma criança, como um trem de brinquedo antigo delicado demais para brincar ou uma escova de cabelos folheada a ouro.

Nós TAMBÉM VIAJÁVAMOS um pouco, meu irmão e eu, sendo frequentadores habituais dos acampamentos de verão em nossa juventude. Nosso acampamento ficava no Maine, num platô costeiro de florestas e campos, um bom lugar para apreciar a natureza. Quanto mais nosso país se cobria de mantos de fumaça de fábrica, quanto mais o carvão subia chacoalhando das minas, quanto mais nossas pesadas locomotivas trovejavam ao longo da noite e grandes máquinas colheitadeiras ceifavam as plantações e automóveis negros enchiam as ruas tocando suas buzinas e trombando uns com os outros, tanto mais o povo americano cultuava a natureza. Mais frequentemente essa devoção era relegada às crianças. E assim lá íamos morar em cabanas primitivas no Maine, meninos e meninas em acampamentos vizinhos.

Eu estava na plenitude dos meus sentidos, na época. Minhas pernas eram mais ágeis e meus braços, fortes e musculosos, e eu podia ver o mundo com toda a felicidade inconsciente de um garoto de 14 anos. Não longe dos acampamentos, num penhasco que dava para o oceano, havia uma campina carregada de amoras selvagens, e, numa tarde, um bando de nós estava lá colhendo as amoras maduras e mordendo sua polpa pericárpica quente e úmida, competindo com enxames de abelhões, expulsando-os de amoreira a amoreira e enfiando as frutas na boca até que o suco nos escorria pelo queixo. O ar era adensado por comunidades flutuantes de mosquitos que subiam e desciam, expandindo e contraindo, como eventos astronômicos. E o sol brilhava sobre nossas cabeças, e atrás de nós, ao pé do penhasco, as rochas negras e prateadas pacientemente acolhiam e quebravam as ondas, e, além delas, o cintilante mar refletindo os raios de sol, e tudo aquilo em meus olhos claros, e eu me virei para aquela menina com quem havia criado um vínculo, seu nome era Eleanor, e abri bem os braços e me curvei como se fosse o mágico que tinha feito tudo aquilo para ela. E, de certo modo, quando os outros seguiram em frente nós ficamos conspiratoriamente atrás de um arbusto de amoras até que o som deles desapareceu e nos encontramos ali sozinhos, rompendo os regulamentos do acampamento e assim autodefinidos como mais adultos do que qualquer um acreditaria, embora tenhamos ficado reflexivos no caminho de volta, de mãos dadas sem mesmo nos darmos conta.

Existe algum amor mais puro do que este, quando nem sequer se sabe o que é? A mão dela era úmida e quente, ela tinha olhos e cabelos escuros, essa Eleanor. Nenhum de nós estava envergonhado pelo fato de ela ser bem uma cabeça mais alta que eu. Lembro-me de seu ceceio, do jeito como a ponta de sua língua ficava presa entre os dentes quando pronunciava o S. Não era uma das moças socialmente seguras que havia aos montes no lado delas do acampamento. Usava a camisa verde e a calça comprida cinza do uniforme que todas usavam, mas era uma espécie de loba solitária e, aos meus olhos, parecia distinta, cativante, pensativa e em algum estado de desejo análogo ao meu — desejo do quê, nenhum de nós poderia dizer. Esse foi meu primeiro afeto declarado, e foi tão sério que nem Langley, que ficava numa outra cabana com o grupo de sua faixa etária, me provocou. Teci uma fita para Eleanor e cortei e entalhei em casca de bétula uma miniatura de canoa para ela.

Ah, mas estou embarcando numa história triste. Os acampamentos de rapazes e moças eram separados por uma sequência de bosques ao longo do qual havia uma cerca alta do tipo que impede os animais de entrarem numa propriedade, por isso era uma grande aventura à noite para os rapazes mais velhos saltar por cima ou cavar por baixo dessa cerca e desafiar a autoridade correndo pelo acampamento das meninas gritando e se esquivando dos vigilantes perseguidores e batendo nas portas das cabanas para despertar gritinhos deleitosos. Mas Eleanor e eu rompíamos a cerca para nos encontrarmos depois que todos estivessem dormindo, quando então vagávamos sem rumo sob as estrelas e falávamos filosoficamente sobre a vida. E assim aconteceu numa noite quente de agosto que nos encontramos a uns 2 quilômetros num alojamento que, como o nosso, era dedicado ao retorno à natureza. Mas era um acampamento para adultos, para pais. Atraídos por uma luz bruxuleante na casa que, exceto por essa única luz, estava às escuras, seguimos na ponta dos pés até uma varanda e pela janela vimos uma coisa chocante, o que tempos depois seria chamado de filme pornográfico. Sua demonstração licenciosa tinha lugar numa tela portátil, algo como um grande anteparo de janela. Na luz refletida podíamos ver em silhueta uma audiência de adultos atentos, inclinando-se para a frente em suas cadeiras e sofás. Lembro-me do som do projetor não muito distante da janela aberta, do som chiado que fazia, como um campo de cigarras. A mulher na tela, nua a não ser por um par de sapatos de salto alto, estava deitada de costas numa mesa e o homem, também nu e de pé, segurava as pernas dela por sob os joelhos de modo que ela se oferecia para receber o órgão dele, cuja enormidade o homem fizera questão de primeiro exibir para o público. Era um magrelo feio e careca com apenas aquela característica desproporcional a distingui-lo. Ao se enfiar repetidamente na mulher, ela se pôs a puxar os cabelos enquanto suas pernas chutavam convulsivamente para cima, cada ponta de sapato apunhalando o ar em rápida sucessão, como se ela tivesse recebido o choque de uma corrente elétrica. Fiquei arrebatado — horrorizado, mas também excitado num nível de sensação antinatural que se assemelhava a náusea. Não me surpreendo agora que, com a invenção dos filmes, suas possibilidades pornográficas tenham sido imediatamente percebidas.

E minha amiga, será que ofegou ou puxou minha mão para me afastar dali? Se o fez, eu não notei. Mas, quando recobrei suficientemente os sentidos, virei-me e não a vi em lugar nenhum. Corri de volta pelo mesmo caminho da ida e, na noite enluarada, uma noite tão em preto e branco como o filme, não via ninguém na estrada à minha frente. O verão ainda guardava algumas semanas, mas minha amiga Eleanor nunca mais falou comigo, nem sequer me olhou, uma decisão que aceitei por ser cúmplice, em gênero, do ator do filme. Ela tinha razão para fugir de mim, pois naquela noite o romance foi desbancado na minha mente e em seu lugar foi entronizada a ideia de que o sexo era algo que fazíamos a elas, a todas elas, incluindo a coitada da tímida e alta Eleanor. É uma ilusão pueril, mal digna de uma cabeça de 14 anos, e, no entanto, ela persiste entre homens adultos até mesmo quando conhecem mulheres mais avidamente copulativas que eles.

Claro, uma parte de mim, ao ver aquele filmeco grosseiro, não se sentia menos traída pelo mundo adulto que minha Eleanor. Não quero sugerir que meu pai e minha mãe estivessem entre aquela audiência — não estavam. Na verdade, quando confidenciei com Langley, nós concordamos que nosso pai e nossa mãe estavam excluídos da raça dos aflitos carnais. Não éramos ingênuos a ponto de achar que nossos pais só haviam se entregado ao sexo nas duas vezes necessárias para nos conceber. Mas era uma conduta de sua geração o amor ser praticado no escuro e nunca mencionado ou admitido em qualquer outra ocasião. A vida era tornada tolerável por suas formalidades. Mesmo as relações mais íntimas eram mantidas em termos formais. Nosso pai nunca estava sem seu colarinho novo, a gravata e o terno com colete, simplesmente não me lembro dele vestido de outra maneira. Seus cabelos grisalhos, de um cinza em tom de aço, eram cortados curtos e ele usava um bigode escova e um pincenê sem se dar conta de que macaqueava a aparência do presidente de então. E nossa mãe, com seu corpo amplo e cintado no estilo da época, com seus cabelos cheios penteados para cima e presos em cornucópia, era uma figura de abundância matronal. As mulheres de sua geração usavam as saias até os tornozelos. Não tinham o direito de votar, um fato que minha mãe não achava perturbador, embora algumas de suas amigas fossem sufragistas. Langley disse que o casamento de nossos pais se dera no céu. Insinuava com isso não um grande romance, mas a suposição de que, quando jovens, nossa mãe e nosso pai tinham conformado suas vidas obedientemente às especificações bíblicas.

Espera-se que pessoas da minha idade se recordem de tempos que já passaram há muito, embora não sejam capazes de lembrar o que aconteceu ontem. Minhas memórias de nossos pais mortos há muito se tornaram consideravelmente embaçadas, como se, por terem ficado mais e mais para trás, tivessem diminuído em estatura, perdido detalhes visíveis, como se o tempo se tornasse espaço, se tornasse distância, e as figuras do passado, mesmo pai e mãe, estivessem distantes demais para serem reconhecidas. Ficaram cravadas em sua própria época, que resvalou para além do horizonte planetário. Eles e sua era e todas as suas preocupações desapareceram juntos. Posso me lembrar de moça que conheci superficialmente, como Eleanor, mas de meus pais, por exemplo, não me lembro de sequer uma palavra que um deles tenha dito.

* * *

O QUE ME leva à Teoria das Substituições de Langley.

Não estou certo de quando me foi exposta pela primeira vez, embora me lembre que pensei haver algo de colegial nela.

Tenho uma teoria, ele me disse. Tudo na vida é substituído. Nós somos os substitutos de nossos pais, assim como eles foram os substitutos da geração prévia. Todos esses rebanhos de bisões que estavam chacinando no Velho Oeste, seria de se esperar que fosse ser o fim deles, mas não serão todos abatidos e os rebanhos serão refeitos com substitutos indistinguíveis daqueles que foram mortos.

Eu disse, Langley, as pessoas não são iguais a um estúpido bisão, somos cada um uma pessoa. Um gênio como Beethoven não pode ser substituído.

Mas veja, Homer, Beethoven foi um gênio para sua época. Temos as notações do gênio dele, mas ele não é o nosso gênio. Teremos nossos gênios, e se não na música então na ciência ou na arte, embora possa se levar um tempo para reconhecê-los porque os gênios geralmente não são reconhecidos de imediato. Além do mais, não é o que qualquer um deles conquista, mas como eles se posicionam em relação ao resto de nós. Quem é o seu jogador de beisebol favorito?, perguntou ele.

Walter Johnson, eu disse.

E não será ele um substituto de Cannonball Titcomb?, disse Langley. Está vendo? É de construções sociais que estou falando. Uma das construções é para que tenhamos atletas para admirar, para que criemos um público de admiradores de jogadores de beisebol. Isso parece ser um meio de comunicação cultural que cria uma grande satisfação social e possivelmente ritualiza, considerando os times de beisebol de diferentes cidades, nossa tendência de assassinarmos uns aos outros. Os seres humanos não são bisões, somos uma espécie mais complexa, vivendo em complicadas construções sociais, mas nós nos substituímos exatamente como eles o fazem. Sempre haverá nos Estados Unidos, enquanto se jogar beisebol, alguém que sirva a juventude ainda por nascer como Walter Johnson serve a você. É um legado nosso ter heróis do beisebol, e por isso sempre haverá um.

Mas você está dizendo que tudo é sempre o mesmo, como se não houvesse progresso, falei.

Não estou dizendo que não existe progresso. Existe um progresso, mas ao mesmo tempo nada muda. As pessoas produzem coisas como automóveis, descobrem coisas como ondas de rádio. Claro que o fazem. Haverá melhores lançadores do que o seu Walter Johnson, por mais difícil que seja acreditar nisso. Mas o tempo é algo diferente do que estou falando. Ele avança através de nós à medida que nos revezamos para preencher as lacunas.

A essa altura eu sabia que a teoria de Langley era algo que ele ia inventando de forma improvisada. Que lacunas?, perguntei.

Por que você é tão cabeça-dura que não entende isso? As lacunas para gênios, para jogadores de beisebol, para milionários e para reis.

Existe uma lacuna para cegos?, perguntei. Eu me lembrei, ao dizer isso, da maneira como o oftalmologista jogou uma luz nos meus olhos e resmungou algo em latim como se a língua inglesa não tivesse palavras para exprimir o horror do meu destino.

Para os cegos, sim, e também para os surdos, e para os escravos do rei Leopoldo, no Congo, disse Langley.

Nos minutos seguintes tive de aguçar bastante os ouvidos para perceber se Langley ainda estava na sala, porque ele parou de falar. Então senti sua mão em meu ombro. A essa altura compreendi que o que Langley chamava de sua Teoria das Substituições era sua amargura ou seu desespero em relação à vida.

Langley, lembro-me de ter dito, sua teoria precisa ser mais trabalhada. Aparentemente ele também achava isso, pois foi nessa época que começou a guardar as edições diárias dos jornais.

Foi meu irmão, e nenhum de meus pais, quem adquiriu o hábito de ler para mim a partir do momento em que eu não pude mais ler sozinho. Claro, eu tinha livros em braille. Li tudo de Gibbon em braille. *No segundo século da era cristã, o Império de Roma compreendia a parte mais considerável da terra e a porção mais civilizada da humanidade...* Ainda acredito que essa é uma frase mais deliciosamente sentida com os dedos do que vista com os olhos. Langley lia para mim os livros populares da época — *O tacão de ferro*, de Jack London, e suas histórias do Norte distante, ou *O vale do medo*, de A. Conan Doyle, sobre Sherlock Holmes e o diabólico Moriarty —, mas antes que passasse para os jornais, informando-me sobre a guerra na Europa, à qual estava destinado a ir, Langley me trazia dos sebos volumes finos de poesia e os lia para mim como se os poemas fossem notícias. Poemas têm ideias, dizia ele. As ideias dos poemas vêm de suas emoções, e suas emoções são transportadas em imagens. Isso torna os poemas muito mais interessantes que os seus romances, Homer. Que são apenas histórias. Não me lembro dos nomes dos poetas que Langley achava tão notáveis, nem os poemas ficaram na minha mente exceto por um verso ou dois. Mas eles surgem em meus pensamentos geralmente sem serem convidados e me dão prazer quando os recito para mim mesmo. Como *Gerações pisaram, pisaram, pisaram / E tudo é queimado com comércio, ofuscado, maculado com labuta...* — eis aí uma ideia langleyana para você.

QUANDO ELE ESTAVA partindo para a guerra, meus pais lhe ofereceram um jantar, somente a família à mesa — uma boa carne assada e o cheiro de cera de vela e minha mãe chorando e pedindo desculpas por chorar e meu pai limpando a garganta antes de propor um brinde. Langley embarcaria naquela noite. Nosso soldado da família iria para o outro lado do oceano a fim de assumir o lugar de um soldado aliado morto, de acordo com sua teoria. Na porta de casa, apalpei seu rosto para memorizá-lo naquele momento, um nariz longo e reto, uma boca séria, um queixo pontudo, bem parecido com o meu, e então o quepe na mão e o tecido áspero do uniforme e as bandagens protegendo as pernas. Ele tinha pernas finas, Langley. Estava ali, alto e ereto, mais alto e ereto do que jamais voltaria a ser.

E lá estava eu — sem meu irmão pela primeira vez na vida. Eu me vi como se trancafiado dentro de minha própria jovem virilidade independente, que em breve seria submetida a um grande teste pela pandemia da gripe espanhola que assolou a cidade em 1918 e, como uma grande ave predadora, baixou e arrebatou nossos pais. Meu pai morreu primeiro, porque trabalhava no hospital Bellevue, e foi lá que contraiu a doença. Naturalmente, minha mãe logo o seguiu. Eu os chamo de meu pai e minha mãe quando penso neles morrendo tão súbita e dolorosamente, sufocando até morrer em questão de horas, que era a maneira como a gripe espanhola levava as pessoas.

Até hoje não penso em suas mortes. É verdade que com a chegada de minha cegueira ocorreu uma espécie de entrincheiramento de quaisquer sentimentos que eles tinham por mim, como se um investimento que haviam feito não houvesse vingado e estivessem desistindo de mim. Apesar de tudo, era o abandono final, uma viagem da qual não voltariam, e fiquei abalado.

Dizia-se que a gripe espanhola atingia principalmente os mais jovens, embora em nosso caso tenha sido o oposto. Fui poupado, embora me sentisse muito mal por uns tempos. Tive de cuidar dos arranjos do enterro de minha mãe como ela havia cuidado dos de seu marido antes de morrer também, como se não pudesse suportar ficar longe dele por nem um momento sequer. Fui ao mesmo agente funerário a que ela recorrera. Enterrar pessoas era um negócio formidável nessa época, as costumeiras formalidades untuosas eram dispensadas e os corpos eram transportados rapidamente para suas sepulturas por homens cujas vozes abafadas me faziam pensar que usavam máscaras de gaze. Os preços tinham subido também: quando minha mãe morreu, os mesmos exatos arranjos que ela fizera para meu pai custaram o dobro. Eles tinham muitos amigos, um grande círculo social, mas só um ou dois primos distantes apareceram para as exéquias, todos os demais tendo ficado sentados em casa com as portas trancadas ou comparecendo a seus próprios funerais. Meus pais estão juntos para a eternidade — a menos que haja um terremoto — no cemitério Woodlawn, pouco adiante do que era a aldeia de Fordham, embora seja tudo o Bronx hoje, claro.

A essa altura da gripe, Langley, mandado para a guerra na Europa com a Força Expedicionária Americana, foi dado como desaparecido. Um oficial do Exército aparecera à nossa porta para dar a notícia. Tem certeza?, perguntei. Como sabe? Essa é sua maneira de dizer que ele foi morto? Não? Então não está dizendo nada além de que não sabe de nada. Por que está aqui?

Claro que agi mal. Lembro que tive de me acalmar indo até o armário de uísques de meu pai e tomando um gole direto da garrafa. Perguntei a mim mesmo se era possível que minha família inteira fosse varrida do mapa no intervalo de um mês ou dois. Concluí que não era possível. Não era do feitio de meu irmão me desertar. Havia algo na visão de mundo de Langley, firmemente encastelado em seu nascimento, embora talvez polido com brilho na Universidade de Columbia, que lhe conferia imunidade divina a destinos tão rasteiros como a morte numa guerra: eram os inocentes que morriam, não aqueles nascidos com a força de não terem ilusões.

Portanto, assim que me persuadi daquilo, não importa o estado em que me achava, nada tinha a ver com um estado de luto. Eu não lamentava, eu esperava.

E então, naturalmente, por aquela fenda na porta da frente chegou uma carta de meu irmão, escrita em um hospital de Paris e datada da semana seguinte àquela em que recebi a visita do oficial me informando que ele desaparecera em ação. Pedi a Siobhan, nossa empregada, para ler a carta para mim. Langley fora intoxicado por gás na frente ocidental. Nada fatal, disse ele, e havia certas compensações da parte de atenciosas enfermeiras do Exército. Quando se cansassem dele, disse, seria mandado para casa.

Siobhan, uma irlandesa devota de certa idade, não gostou de ler sobre as atenções das enfermeiras do Exército, mas eu ri com tamanho alívio que ela cedeu e teve de admitir como se sentia feliz porque o Sr. Langley estava vivo e parecia o mesmo de sempre.

ATÉ QUE MEU irmão voltasse, lá estava eu sozinho em casa, excetuando os empregados — um mordomo, um cozinheiro e duas criadas —, todos com quartos próprios e um banheiro no último andar. Você pode perguntar como um cego realiza seus afazeres com criados em casa que poderiam achar que seria fácil roubar algo. Era o mordomo quem me preocupava, mas não que tivesse feito alguma coisa. Ele se mostrava, isso sim, exageradamente solícito comigo agora que eu estava no comando e não era mais apenas o filho. Então eu o demiti e mantive o cozinheiro e as duas criadas, Siobhan e a moça húngara mais jovem, Julia, que cheirava a amêndoas e que acabei levando para a cama. Na verdade ele não era só um mordomo, Wolf, mas um mordomo-chofer e às vezes um faz-tudo. E, quando ainda tínhamos uma carruagem, ele a trazia do estábulo, na Ninety-Third Street, e levava meu pai ao hospital no romper da manhã. Meu pai era muito afeiçoado a ele. Mas ele era alemão, esse Wolf, e, embora seu sotaque fosse leve, insistia em colocar os verbos no final das frases. Nunca o perdoei pela maneira como chicoteava o cavalo de nossa carruagem, Jack; jamais houve corcel mais distinto e galante, e, embora trabalhasse para a família desde que eu me entendo por gente — Wolf, quero dizer —, e embora eu pudesse sentir por seus passos que não era o mais jovem dos homens, estávamos, afinal, em guerra com os alemães, e por isso eu o demiti. Ele me disse que sabia que aquela fora a razão, embora eu naturalmente tenha negado. Perguntei-lhe, Wolf é o apelido de quê? Wolfgang, disse ele. Sim, falei, e é por isso que o estou demitindo, porque você não tem direito ao nome do maior gênio da história da música.

Embora eu tenha lhe dado uma bela soma de dinheiro como indenização, ele teve o mau gosto de me maldizer e de sair pela porta da frente, que bateu com força deliberadamente.

Mas devo dizer que deu um certo trabalho ordenar o espólio de meu pai com seus advogados e arranjar alguns meios de lidar com a maçante administração doméstica. Convoquei um dos funcionários novatos no banco da família para fazer a contabilidade e uma vez por semana eu vestia um terno e botava um chapéu-coco na cabeça e descia a Fifth Avenue até o banco Corn Exchange. Era uma boa caminhada. Eu usava uma bengala, mas na verdade não precisava dela, tendo feito uma prática, assim que soube que meus olhos estavam definhando, de explorar e armazenar na memória tudo ao longo de vinte quarteirões ao sul e ao norte, e até a First Avenue e as trilhas no parque do outro lado da rua até o Central Park West. Eu sabia o comprimento dos quarteirões pelo número de passos de meio-fio a meio-fio. Fiquei até feliz de não precisar ver mais as mansões Renascença dos barões ladrões ao sul de nós. Eu caminhava vigorosamente e media o progresso de nossa época pelos sons e cheiros cambiantes das ruas. Antigamente, carruagens e diligências silvavam, guinchavam ou gemiam, as carretas chacoalhavam, as carroças de cerveja puxadas por parelhas passavam trovejando e a batida que ritmava toda essa música era o *clop-clop* dos cascos. Depois o *put-put* combustivo dos automóveis foi acrescido à mistura e gradualmente o ar perdeu seu cheiro orgânico de pelo e couro, e o odor de esterco de cavalo em dias quentes não pairava como um miasma sobre a rua nem se ouvia mais com frequência aquela pazada vigorosa dos lixeiros recolhendo a sujeira e, finalmente, nessa época particular que descrevo era tudo mecânico, o ruído das frotas de carros passando rapidamente em ambas as direções, tocando suas buzinas, e os policiais soprando seus apitos.

Eu gostava do belo som aguçado de minha bengala nos degraus de granito do banco. E dentro eu podia sentir a arquitetura de tetos altos e paredes e pilares de mármore a partir do murmúrio oco das vozes e do arrepio em meus ouvidos. Aqueles eram os dias em que eu achava que agia responsavelmente, feito um substituto dos Collyer precedentes, como se estivesse esperando sua aprovação póstuma. E então Langley deixou a Guerra Mundial e voltou para casa e eu me dei conta de quão tolo eu havia sido.

APESAR DAS ASSEVERAÇÕES de sua carta, o irmão que voltou era um homem diferente. Sua voz era uma espécie de gargarejo e ele não parava de tossir e limpar a garganta. Era um tenor límpido quando partira e cantava as antigas árias enquanto eu as tocava. Não mais. Senti seu rosto e o oco de suas faces e a agudeza de seus ossos malares. E tinha cicatrizes. Quando tirou o uniforme, senti mais cicatrizes em suas costas nuas e também pequenas crateras de bolhas formadas pelo gás de mostarda.

Ele disse: Esperam que a gente participe de uma parada, marchando em ordem, um batalhão após outro, como se a guerra fosse uma coisa organizada, como se tivesse havido uma vitória. Não vou desfilar. É coisa para idiotas.

Mas nós vencemos, falei. É o Armistício.

Quer meu fuzil? Tome aqui. E ele o enfiou nas minhas mãos. Esse rifle pesado atirou de verdade na Grande Guerra. Ele deveria tê-lo devolvido ao arsenal, na Sixty-Seventh Street. Então senti seu quepe enfiado na minha cabeça. E subitamente sua túnica pendia do meu ombro. Tive vergonha pelo fato de que, com todos os relatos que Julia lia para mim com seu sotaque húngaro na mesa do café todas as manhãs, eu ainda não tinha entendido como eram as coisas do lado de lá. Langley me contaria nas semanas seguintes, interrompido ocasionalmente por batidas na porta da força policial do Exército, pois havia deixado sua unidade antes de ser legalmente dispensado e de ter recebido seus papéis de desligamento, e, de todas as dificuldades com a lei que iríamos suportar nos anos vindouros, essa, a questão de sua deserção técnica, seria uma espécie de pré-estreia.

Toda vez que atendia à porta eu jurava que não tinha visto meu irmão, e não era mentira. E eles notavam que eu olhava para o céu enquanto falava e batiam em retirada.

Quando aconteceu a Parada do Armistício, e eu podia sentir a empolgação da cidade, pessoas passando rapidamente por nossa casa, os carros se arrastando, buzinas tocando, e, através de tudo aquilo, os acordes das músicas de marcha militar, ouvi de Langley, como que antifonicamente, suas experiências. Eu não teria pedido a ele para contar, queria que fosse o seu antigo Eu, reconhecia que precisava se recuperar. Ele não sabia, até voltar, que nossos pais tinham sucumbido à gripe. Isso era mais uma coisa com a qual tinha de lidar. Dormia muito, e não prestou atenção a Julia, pelo menos inicialmente, embora pudesse ter achado estranho vê-la nos servindo o jantar e depois sentando-se conosco para comer. Assim, apesar de tudo isso, sem qualquer indução, enquanto a cidade se voltava para a parada da vitória, ele me contou sobre a guerra em sua voz rouca, que às vezes descaía para um sussurro ou um chiado antes de retomar o tom grave. Havia momentos em que mais parecia estar falando consigo mesmo.

Ele disse que não conseguiam manter os pés secos. Fazia frio demais para tirar os coturnos, havia gelo na trincheira, água gelada e gelo. Eles ficavam com "pé de trincheira". Os pés ficavam inchados e azulados.

Havia ratos. Grandes e marrons. Comiam os mortos, não tinham medo de nada. Mordiam os sacos de lona para chegar à carne humana. Uma vez, com um oficial num caixão de madeira e a tampa não muito bem presa, eles a abriram com os focinhos e num minuto o caixão ficou cheio de um monte de ratos guinchando, contorcendo-se, serpenteando e brigando, uma massa verminosa e lamacenta de ratos marrons e pretos avermelhando-se com o sangue. Os oficiais atiraram na massa com suas pistolas e os ratos se esparramaram pelos lados do caixão e então alguém saltou à frente e trancou a tampa do caixão de novo e eles a fecharam com pregos, com o oficial e os ratos mortos e moribundos amontoados.

Os ataques sempre vinham antes do amanhecer. Primeiro havia um bombardeio pesado, artilharia de campanha, morteiros, e então as fileiras avançavam saindo da fumaça e do nevoeiro para se expor ao fogo das metralhadoras. Langley aprendeu a se encostar contra a parede frontal da trincheira para pegar o Chucrute com sua baioneta quando o homem saltava sobre ele, como o touro chifrando o toureiro nas nádegas ou na coxa ou pior, e até perdendo o domínio do fuzil quando o pobre coitado levava a baioneta consigo ao cair.

Langley quase foi à corte marcial por supostamente ameaçar um oficial. Ele perguntara: Por que estou matando homens que não conheço? É preciso conhecer alguém para se querer matá-lo. Por causa dessa opinião, foi mandado em patrulha noite após noite, ficava rastejando sobre um terreno lamacento sulcado por explosões anteriores e cheio de arame farpado, beijando o chão enquanto os foguetes de sinalização iluminavam o céu.

E então veio a manhã daquela névoa amarela que não parecia nada de mais. Quase não tinha cheiro. Dissipou-se em pouco tempo e então sua pele começou a queimar.

E para quê?, Langley perguntou a si mesmo. Olhe e verá.

Que é como tenho feito, simplesmente sobrevivendo.

No dia em que Langley foi sozinho ao cemitério Woodlawn para visitar os túmulos de nossos pais, coloquei seu fuzil Springfield sobre a lareira da sala de visitas e lá ele ficou, quase a primeira peça na coleção de artefatos de nossa vida americana.

* * *

O FATO DE eu ter me tornado íntimo de Julia não foi bem-aceito pela criada mais velha, Siobhan, que estava acostumada a dar as ordens em seu mundo doméstico de responsabilidades designadas. Julia, saindo de minha cama, tinha assumido um status elevado para si e não estava mais inclinada a receber ordens. Sua atitude equivalia a insurgência. Siobhan era nossa criada havia muito mais tempo, e, conforme me contou em lágrimas um dia, minha mãe não só achava seu trabalho excepcional como chegara a considerá-la um membro da família. Eu nada sabia disso. Conhecia Siobhan só por sua voz, que, sem pensar muito a respeito, eu achava sem atrativo, uma voz fina, aguda e chorosa, e sabia que era uma mulher corpulenta pelo modo como ofegava ao menor esforço. Havia também um cheiro nela; não que fosse suja, mas seus poros produziam uma espécie de redolência de banho de vapor que ficava no ambiente mesmo depois que ela saía. No entanto, com a volta de Langley eu estava empenhado em manter a paz em nossa casa, pois sua presença melancólica e a irritabilidade diante de cada pequeno detalhe nos havia desequilibrado a todos, incluindo, eu poderia dizer, a cozinheira negra, a Sra. Robileaux, que preparava o que queria preparar e servia o que queria servir sem consultar ninguém, nem mesmo Langley, que sempre empurrava o prato para longe e deixava a mesa. Assim, havia contracorrentes de insatisfação vindas de todas as direções — éramos um lar já muito distante daquele de meus pais, cuja administração regrada e maneiras regiamente impassíveis eu agora me via apreciando. Mas, não tendo a menor ideia de como lidar com toda essa desordem emocional, fiz uma distinção mental entre anarquia e mudança evolucionária. Uma era o mundo caindo aos pedaços, a outra era apenas o inevitável rastejar do tempo, que era o que tínhamos agora naquela casa, concluí, o desdobrar dos segundos e dos minutos da vida para mostrar sua face sempre nova. Esta era minha racionalização para não fazer nada. Langley era privilegiado por ser veterano de guerra e a Sra. Robileaux, por seus dotes culinários. Eu deveria ter feito algo para apoiar Siobhan, mas em vez disso encontrei um consolo — mesmo que cheio de culpa na omissão e na decisão de aceitar Julia em seus próprios termos.

A moça era amorosa de uma maneira trivial. Eu ouvira dizer das europeias que elas não promoviam tanto alarde a respeito de fazer amor quanto nossas mulheres, simplesmente iam em frente e aceitavam o sexo como outro apetite, tão natural quanto a fome ou a sede. Por isso, que chamem Julia de lasciva por natureza, porém, mais do que isso, era ambiciosa, e assim, tendo ganho minha cama, ela começou a se impor cheia de ordens para Siobhan, como se estivesse treinando para quando viesse a se tornar a dona da casa. Mas admirava sua verve imigrante. Viera para os Estados Unidos sob os auspícios de uma agência de empregadas domésticas e criara uma vida para si mesma trabalhando primeiro para uma família que minha família conhecia e, depois que eles se mudaram para Paris, chegando à nossa porta com excelentes referências. Tenho certeza de que Julia era mais velha do que eu uns cinco ou seis anos. E, por mais langorosamente atenciosa que fosse durante a noite, estava de pé prontamente ao amanhecer para voltar a suas responsabilidades domésticas. Eu ficava ali entre os lençóis ainda quentes onde ela havia deitado e compunha uma imagem dela a partir de seu cheiro penetrante que persistia no ar e daquilo que minhas mãos tinham aprendido de sua pessoa. Ela tinha orelhas pequenas e uma boca rechonchuda. Quando ficávamos deitados cabeça com cabeça, seus dedos do pé mal alcançavam os ossos do meu tornozelo. Mas ela era generosamente proporcionada, a carne de seus ombros e braços cedendo à menor pressão de meus polegares. Tinha cintura fina, seios fartos, as ancas firmes e coxas e panturrilhas musculosas. Não tinha um pé elegante, era um tanto largo e, ao contrário de tudo seu, que era macio, um tanto áspero ao toque. Seus cabelos lisos, quando soltos, caíam abaixo dos ombros — ela se colocava de quatro sobre meu corpo deitado e sacudia os cabelos contra o rosto, esfregando com eles meu peito e minha barriga, varrendo os cabelos de um lado para o outro com o balanço da cabeça. Nessas horas ela murmurava frases que começavam em inglês e seguiam em húngaro. Gosta disso, senhor, gosta de sua Julia? E, em algum ponto no meio da frase, sem que eu percebesse, ela voltava para o húngaro, sussurrando seus carinhos manhosos, querendo saber se eu gostava do que ela fazia, de modo que eu me imaginava letrado no idioma húngaro. Eu a puxava para baixo a fim de conseguir o mesmo roçar com seus mamilos enquanto seus cabelos se esparramavam sobre meu rosto e minha boca. Fazíamos um monte de coisas criativas e nos mantínhamos muito bem entretidos. O interior dela se encaixava muito bem comigo. Julia contou-me que seus cabelos eram bem claros, da cor do trigo — ela dizia "trrrigo" —, e que seus olhos eram cinzentos como os de um gato.

Foi o corpo cálido e complacente de Julia e os murmúrios imigrantes que me persuadiram a deixar de lado o esvaziamento da honra de Siobhan enquanto os papéis dela e de Julia no esquema doméstico se invertiam e Siobhan passava a ser aquela que recebia as ordens. A boa mulher só tinha dois recursos: deixar o emprego ou rezar. Mas era uma irlandesa solteira de meia-idade, ou até já idosa, sem família, pelo que eu sabia. Seus anos de trabalho em nossa casa tinham sido sua vida. Em tais circunstâncias, as pessoas, mesmo infelizes, se agarram a seu emprego e economizam seu dinheiro, moeda por moeda, numa corrida contra o tempo, quando esperam ter um enterro decente. Lembro que quando minha mãe morreu foi Siobhan quem chorou copiosamente sobre seu túmulo, ela, Siobhan, tão sentimental em relação à morte como só o são os profundamente religiosos. E assim, finalmente, a prece seria o meio pelo qual ela poderia suportar a profunda ofensa a seu orgulho de posição e de posse da casa que tem uma boa empregada responsável por sua manutenção. E se suas preces visavam sua restauração ou, em momentos de amargura que depois teriam de ser confessados ao padre, à vingança, diga o que dissesse o Senhor, eu teria de afirmar que elas foram respondidas na forma protestante de Perdita Spence, uma amiga de infância de Langley que ele havia escoltado na festa de debutante dela e que agora aparecera uma noite para jantar a convite dele.

À medida que as semanas passavam, Langley começava a emergir de sua depressão. Não que o ouvíssemos assobiando ou se entusiasmando com algo, mas sua inteligência amarga estava se aguçando, como nos bons tempos. Perdita Spence era objeto de sua consideração desde quando se encontravam na adolescência, e suponho que isso tenha sido o máximo de sentimento que ele teve por ela. Eu a vi uma ou duas vezes em nossa casa antes que meus olhos escurecessem e agora projetava aquela memória, acrescentando sua idade mentalmente, ao ouvir a conversa dos dois. Lembrava-me de suas feições principais: um nariz longo, olhos próximos demais um do outro e ombros que davam a impressão de que ela usava dragonas sob a blusa. Parecia também haver em mim uma memória da Srta. Spence marchando de braços dados com as sufragistas na Fifth Avenue, mas isso pode ser um adorno de minha própria criação. Sei que ela tinha uma altura confortável para Langley, que media mais de 1,80m. Então era alta para uma mulher, e, ao ouvir seus comentários antes do jantar sobre a sociedade da qual nossas famílias tinham feito parte, achei que era a combinação social perfeita também — alguém que em sua pessoa invocava a vida que Langley havia levado antes de partir para a guerra e, por isso, era justamente aquilo de que ele precisava para aplacar os instintos obscuros de sua mente.

Langley e eu nos havíamos vestido para jantar, e eu, de certo modo, impusera a Julia e Siobhan um armistício entre as duas para que pudessem juntas deixar a casa impecável, o que pelo visto fizeram, pois senti o cheiro de lustrador de mobília em meu piano e, no estúdio e na sala de visitas, as chamas da lareira estavam sem a fumaça sufocante que eu esperava. Langley dissera o suficiente para que a Sra. Robileaux caprichasse no cardápio que ele solicitara, o qual incluía ostras em meia concha, uma sopa de azeda-brava e um assado com suflê de batata e ervilhas na vagem. E ele fora à adega buscar um vinho branco e um tinto. Mas toda a tagarelice de Perdita cessou abruptamente quando Julia, após servir os dois primeiros pratos, trouxe o assado e sentou-se conosco à mesa. Ouvi o arrastar da cadeira de Julia, uma tosse delicada e até mesmo, talvez, seu sorriso deferente.

Depois de um longo silêncio, Perdita Spence disse: Que novidade, Langley, colocar seus convidados para trabalhar. Onde está meu avental?

Langley: Julia não é uma convidada.

Srta. Perdita Spence: Ah não?

Langley: Quando está servindo, ela é parte da criadagem. Quando se senta, é a *innamorata* de Homer.

É uma espécie de situação híbrida, falei, tentando esclarecer as coisas.

Houve um silêncio. Não ouvi sequer um gole de vinho.

E afinal, disse Langley, a identidade humana é uma coisa misteriosa. Podemos sequer ter certeza de que existe algo chamado o Eu?

A peroração da Srta. Perdita Spence, endereçada somente a Langley, a única pessoa na sala elevada o suficiente em sua estima para merecer sua opinião, foi na verdade muito interessante. Não havia o sentimento de ofensa que se esperaria de alguém de sua classe ao se ver à mesa com uma criada. Ela disse — e só posso parafrasear depois destes muitos anos — que, dado o estado deficiente do irmão Homer, era capaz de entender que ele se valesse de qualquer criatura infeliz que lhe estivesse à mão. Mas fazer essa mesma criatura sentar à mesa de jantar era o ato grosseiro de um paxá para quem não bastasse exercer seu poder, necessitava também ostentá-lo. Ali estava a imigrante, que tinha de se dobrar à vontade de seu amo sob pena de perder o emprego, sentada à mesa para seu óbvio desconforto, a fim de anunciar sua total servidão. Uma mulher não é um mico de circo, disse a Srta. Spence, e se deve ser usada para sua vergonha, que o seja pelo menos no escuro, onde ninguém a pode ouvir chorar exceto aquele que abusa dela.

Vou levá-la para casa, disse Langley.

E assim o jantar foi deixado para mim e minha *innamorata*. Julia encheu meu prato e sentou-se a meu lado. Nenhuma palavra foi dita, sabíamos o que tínhamos de fazer. Com a Sra. Robileaux saindo da cozinha periodicamente para ficar à porta e nos fuzilar com o olhar, seguimos comendo por quatro.

Eu não tinha ideia do que Julia estava pensando. Certamente ela havia entendido a essência da crítica da Srta. Spence, mas senti sua indiferença como se ela, Julia, não desse a menor importância ao que aquela estranha tinha a dizer. Entregou-se ao jantar com o mesmo ardor com que limpava a casa ou fazia amor, mantendo minha taça de vinho cheia, e depois a sua, servindo-me outra fatia do assado antes de encher seu prato de novo.

E agora aqui está a sequência de pensamentos que me passou pela mente, pois me lembro deles com muita clareza. Recordo que Julia tinha aparecido sem ser chamada no meu quarto na noite do dia em que eu pedira para tocar seu rosto. Eu não pretendia nada com aquilo, eu simplesmente queria informação, gostava de saber como eram as pessoas ao meu redor. Sentira seu maxilar, que era grande, e sua boca larga e cheia, suas orelhas pequenas, o nariz ligeiramente alargado e a testa, que era ampla, com a linha dos cabelos alta. E naquela mesma noite ela se enfiou na minha cama e esperou.

Estaria Perdita Spence certa? — que aquela jovem imigrante, a fim de manter seu emprego, apenas respondia ao que ela pensava ser uma convocação? Langley não havia acreditado naquilo — percebera a determinação da criada, que, num tempo relativamente curto, tomara conta da casa e ganhara a cama de seu irmão.

Mas eis aqui o que aconteceu: no processo de deixar um prato limpo, eu me dedicava às últimas vagens de ervilha, esmagando-as entre os dentes e saboreando seus doces sumos verdes de margens amargas, e imediatamente me pus a pensar na chácara que havia na esquina da Madison Avenue com a Ninety-Fourth Street e cujos canteiros eu percorria, quando criança, ainda dotado de visão, com minha mãe no início do outono, para escolher legumes para nossa mesa. Eu arrancava os feixes de cenoura da terra macia, colhia os tomates dos galhos, descobria as abóboras amarelas do verão escondidas sob suas folhas, puxava as cabeças de alface com as mãos em concha. E assim nos divertíamos naqueles tempos, minha mãe e eu, ela estendendo a cesta para que eu depositasse o que havia escolhido. Algumas das plantas erguiam-se acima de minha cabeça e as folhas aquecidas pelo sol roçavam minhas faces. Eu mastigava as minúsculas folhas das ervas, ficava zonzo diante da profusão de cores vívidas, do cheiro úmido de folha, raiz e terra úmida num dia cheio de sol. Claro, como a minha vista, aquela chácara desaparecera muito tempo antes, havia um arsenal em seu lugar, e suponho que foi o vinho que me permitiu arrancar das profundezas de minha mente implacável a imagem de minha graciosa mãe quando estava tão incomumente amorosa em companhia de seu filho pequeno.

Pegando a mão de Julia nesse momento emocional de lembrança, encontrei minha palma repousando não na carne, mas numa pedra. Era um anel que ela usava, e, ao apalpá-lo com três dedos para melhor absorver seu tamanho e formato, percebi que era o pesado anel de diamante de minha mãe que havia lançado estilhaços de sol em meus olhos quando ela segurava a alça de nossa cesta de verduras.

Julia murmurou, Ah, senhor querido, ou algo assim, e eu senti sua outra mão na minha face enquanto ela tentava suavemente se desvencilhar e eu, tão suavemente quanto ela, não a deixava.

E essa foi a extraordinária sequência de acontecimentos pela qual suponho devo agradecer à Srta. Perdita Spence, embora nesta data ela não se encontre mais entre os vivos. Ou talvez fosse a decisão de meu irmão de convidá-la para jantar, ou talvez eu devesse voltar mais atrás, até a guerra, que o havia mudado tanto que a seu modo brusco e descompromissado ele só admitiria parcialmente a si mesmo que poderia se emendar, se fosse o caso, casando-se, e assim começou sua busca relutante reatando sua relação com aquela colega de escola alta e de ombros pontudos que não perdoava os modos depravados em nossa casa.

Tivemos um julgamento, naturalmente, Langley e eu os juízes em sessão, Siobhan, o advogado de acusação. Isso foi na biblioteca, onde os livros nas estantes, o globo, os retratos se prestavam a um cenário jurídico. Julia, minha húngara querida, chorava ao alegar que fora ideia de Siobhan emprestar-lhe o anel pegando-o da caixa de joias de minha mãe, para que ela, Julia, fosse mais uma convidada à mesa em vez de apenas a criada que servia. Seria uma espécie de credencial, ela insistia, embora essa palavra não estivesse em seu vocabulário. A fim de parecer que Sr. Homer senhorrr e eu íamos casar, foi o que ela disse na verdade. Eu podia ter decidido tomar seu partido, mas minha própria credibilidade como membro responsável da casa fora seriamente danificada quando tive de admitir para Langley que havia esquecido as joias de minha mãe ao acertar seu espólio, e, assim, elas tinham ficado, sujeitas a roubo, no pequeno cofre de parede não trancado no quarto dela, atrás de um retrato de uma tia-avó sua que alcançara alguma notoriedade por atravessar o Sudão no dorso de um camelo ninguém sabia ao certo por que motivo.

Siobhan negou ter dado o anel à moça, que, disse ela, como tinha acesso à casa inteira por ser a autonomeada serviçal no comando, podia ter bisbilhotado no quarto de minha mãe sem que ninguém a impedisse. Siobhan lembrou a todos quanto tempo estivera a serviço de nossa família, em oposição a essa ladra que tentava fazê-la passar por uma conspiradora demoníaca. E por que eu ajudaria essa indolente, sendo ela a ladra que é?, argumentou Siobhan.

Langley, que tinha o temperamento judicioso, disse a Siobhan, *Petitio principii* — você presume em sua premissa o que tem a estabelecer em sua conclusão.

Pode ser, Sr. Collyer, disse ela, mas eu sei o que sei.

E assim o caso foi encaminhado.

Langley depois pegou a caixa, que continha não só aquele anel, mas também broches, braceletes, brincos e uma tiara de diamantes, e colocou-a numa caixa-forte no banco Corn Exchange, como garantia para um tempo que eu não podia imaginar que viria um dia mas que, é natural, veio, e muito prontamente.

E então minha doce, chorosa e delituosa companheira de cama de mamilos duros deixou os aposentos tão sem-cerimônia quanto a Srta. Perdita Spence, como se fossem as duas protótipos do gênero com o qual, ao longo dos anos, Langley e eu iríamos, numa base ou noutra, nos tornar incompatíveis.

* * *

Só DEPOIS QUE Julia fez as malas e foi embora eu me senti realmente estúpido. Como se sua ausência lhe trouxesse claridade moral. Enquanto mantinha relações com ela, eu não tinha ideia de como ela era — uma presença fragmentada pela minha autossatisfação —, mas agora, ao refletir sobre sua ambição frustrada, acontecia que seu cheiro de amêndoas e os lugares de seu corpo que eu tivera em minhas mãos se aglutinavam numa pessoa pela qual me sentia traído. Essa imigrante com suas estratégias. Ela pisara naquele campo de batalha doméstico com um plano de batalha. Em vez de criada que, por medo de ser jogada na rua, cede aos desejos do patrão, ela estava a serviço somente de si mesma, uma atriz, uma artista, interpretando um papel.

Pedi a Langley que descrevesse a aparência de Julia. Uma coisinha musculosa, ele respondeu. Cabelos castanhos compridos demais, ela tinha de enrolá-los e prendê-los no alto, com um grampo sob a touca, o que, claro, não dava certo, então ela ficava com mechas e cachos caindo-lhe pelo rosto, e o pescoço lhe chamava atenção sobre si de um jeito que nenhuma criada que conhece seu lugar faria. Deveríamos ter mandado cortar-lhe o cabelo.

Mas então ela não teria sido Julia, falei. E ela me disse que tinha cabelos da cor do trigo.

Um castanho-escuro sem graça, disse Langley.

E os olhos?

Não notei a cor de seus olhos. Só que passeavam constantemente a seu redor, como se ela estivesse conversando consigo mesma em húngaro. Tínhamos de demiti-la,

Homer, era esperta demais para confiarmos nela. Mas vou lhe dizer isto: são as hordas imigrantes que mantêm este país vivo, as ondas deles que chegam ano após ano. Tínhamos de demiti-la, mas na verdade ela demonstra o gênio de nossa política de imigração. Quem acredita mais nos Estados Unidos do que as pessoas que descem a prancha do navio e beijam a terra?

Ela nem se despediu.

Pois bem, aí a tem. Vai ser rica um dia.

PARA ME CONSOLAR, mergulhei na minha música, mas pela primeira vez na vida ela me falhou. Decidi que o Aeolian precisava ser afinado. Convocamos Pascal, o afinador, um belga pequenino e afetado, ensopado numa água de colônia que persistia na sala de música durante dias. *Il n'y a rien de mal avec ce piano*, disse ele, quando o abordei em meu francês ruim. Convocando-o para reparar seu impecável trabalho, eu o havia insultado. De fato o problema não era o piano, era meu repertório, que consistia inteiramente de obras que eu aprendera quando ainda podia ler música. Não era mais o bastante para mim. Eu estava inquieto. Precisava de peças novas.

Uma associação para cegos tinha levado um editor de partituras a imprimir obras em braille musical. Então, encomendei algumas obras. Mas não deu certo — embora eu pudesse ler braille, meus dedos não traduziam os pequenos pontos em sons. As notações não combinavam, cada uma ficava de certo modo sozinha, e qualquer coisa em contraponto ficava além de mim.

Foi quando Langley veio ao meu socorro. Ele encontrou em algum leilão uma pianola de armário. Ela vinha com dúzias de papel perfurado em cilindros. Você encaixava os cilindros em dois pinos, o rolo de papel correndo de través, acionava os pedais, as teclas baixavam como que por mágica e o que se ouvia era uma interpretação de um dos grandes, Paderewski, Anton Rubinstein, Joseph Hoffman, como se estivessem sentados bem ali no banco do piano, ao seu lado. Assim, ampliei meu repertório ouvindo os rolos de pianola repetidamente até que pudesse colocar os dedos nas teclas no momento em que eram mecanicamente acionadas. Então finalmente eu podia voltar ao meu Aeolian e tocar a peça sozinho, com minha própria interpretação. Dominei diversos *impromptus* de Schubert, estudos de Chopin, sonatas de Mozart, e eu e minha música estávamos novamente de acordo.

A pianola foi o primeiro dos muitos pianos que Langley colecionaria ao longo dos anos — tem uma boa dúzia deles aqui, inteiros ou em parte. Ele podia ter meus interesses em mente quando começou, provavelmente acreditava que, em algum lugar do mundo, existisse um piano com um som melhor que o do meu Aeolian. Claro que não existia, embora eu compenetradamente experimentasse cada um que ele trazia para casa. Se eu não gostava do piano, ele o desnudava até as entranhas para ver o que podia ser feito, e assim começou a ver pianos como máquinas, máquinas de fazer música, para serem desmontadas, estudadas e remontadas. Ou não. Quando Langley traz para casa algo que o atraiu — um piano, uma torradeira, um cavalo chinês de bronze, uma coleção de enciclopédias —, isso é apenas o começo. Seja o que for, será adquirido em várias versões, porque, até que perca o interesse e parta para outra coisa, ele estará à procura de sua expressão final. Acho que pode existir uma base genética para isso. Nosso pai também era um colecionador, pois entre as muitas estantes de volumes médicos em seu gabinete encontram-se jarras de vidro lacradas contendo fetos, cérebros, gônadas e vários outros órgãos preservados em formaldeído — tudo relacionado com seus interesses profissionais, claro. Ainda assim, não posso realmente acreditar que Langley não traga à sua paixão de colecionar objetos algo inteiramente seu: ele é morbidamente parcimonioso — desde que começamos a cuidar da casa nós mesmos, ele tem se preocupado com nossas finanças. Poupar dinheiro, poupar coisas, achar valor em artigos que as pessoas jogaram fora ou que possam ser de uso futuro de uma maneira ou de outra: isso faz parte da coisa também. Como se poderia esperar de um arquivista de jornais, Langley tem uma visão do mundo, e, como eu não tenho a minha, sempre acompanhei o que ele faz. Eu sabia que um dia tudo se tornaria lógico, claro e sensato para mim, assim como era para ele. E aquilo passou há muito tempo. Jacqueline, minha musa, falo diretamente com você por um momento. Você viu esta casa por dentro. Sabe que simplesmente não temos outra maneira de ser. Você sabe quem somos. Langley é meu irmão mais velho.

É um veterano que serviu bravamente na Grande Guerra e perdeu a saúde devido a seus esforços. Quando éramos jovens, o que ele colecionava, o que trazia para casa, eram aqueles volumes finos de versos que ele lia para seu irmão cego. Aqui vai um verso: "O destino é escuro e mais profundo que um abismo marinho..."

MEU REPERTÓRIO EXPANDIDO tornou-se muito útil quando arrumei um emprego como pianista para a exibição de filmes mudos, pois eu tinha de improvisar as peças de acordo com a natureza da cena que estivesse sendo exibida. Se era uma cena de amor eu tocava "Träumerei", de Schumann; se era uma cena de luta, o movimento rápido de uma das furiosas obras tardias de Beethoven; se soldados marchavam, eu marchava com eles; e se era um final glorioso, eu poderia improvisar o último movimento da Nona Sinfonia de Beethoven.

Você vai me perguntar como é que eu sabia o que se passava na tela. Era uma jovem que havíamos contratado, uma estudante de música, que se sentava ao meu lado e me descrevia em voz baixa exatamente o que estava acontecendo. Agora uma perseguição engraçada com as pessoas caindo dos carros, ela dizia, ou aí vem o herói montado num cavalo a galope, ou os bombeiros estão descendo por um cano, ou — e então ela baixava a voz e tocava em meu ombro — o casal está se abraçando, olhando nos olhos um do outro, e a legenda na tela diz "Eu te amo".

Langley encontrou essa estudante na Escola de Música Hoffner-Rosenblatt, na West Fifty-Ninth Street, e, como nessa ocasião que estou descrevendo, o legado decrescente de nossos pais, devido a alguns investimentos desastrados, se tornara evidente para nós — motivo que me levou a aceitar o emprego numa sala de cinema da Third Avenue, tocando três sessões completas do fim da tarde até a noite, de sexta a domingo toda semana —, não pagávamos a ela, meus olhos do cinema, a jovem Mary, somente em moedas, mas complementávamos seu pequeno salário com aulas grátis que eu lhe dava em nossa casa. Como ela vivia com a avó e o irmão mais jovem do outro lado da cidade, no remoto West Side — em Hell's Kitchen, na verdade —, no que deviam ser aposentos modestos, sua avó ficou mais do que feliz em não ter de pagar mais pelas aulas de Mary. Era uma família de imigrantes que havia sofrido uma grande fatalidade, a morte dos pais da moça, o pai num acidente na cervejaria onde trabalhava e a viúva tendo sucumbido de câncer não muito depois. E, claro, para poupar a passagem de bonde e porque Siobhan acabou gostando da jovem, quase como se fosse uma filha, Mary veio morar conosco. Seu nome era Mary Elizabeth Riordan, tinha 16 anos na época, estudara numa escola paroquial e, segundo todos os relatos, era a coisinha mais linda, com cabelos pretos encaracolados, pele alva, olhos azul-claros, cabeça altiva e a postura ereta, como se seu corpo franzino não indicasse a um observador que havia uma fraqueza da qual se pudesse tirar proveito. Mas quando íamos e voltávamos juntos para o cinema, a pé, ela segurava meu braço como se fôssemos um casal, e, naturalmente, me apaixonei por ela, embora sem ousar fazer qualquer coisa a respeito, estando com quase 30 anos a essa altura e já começando a perder os cabelos.

Eu não diria que Mary Riordan era uma aluna notável, embora ela adorasse tocar. Na verdade, era mais que competente. Eu só não achava seu ataque suficientemente positivo, apesar de que, quando ela trabalhava em algo como a "Catedral submersa", de Debussy, seu toque sensível parecia justificado. Ela era simplesmente uma alma gentil em todas as suas expressões. Sua bondade era como a fragrância de um sabonete puro sem cheiro. E ela entendia, exatamente como eu, que ao sentar e colocar as mãos sobre as teclas, não era apenas um piano à sua frente, mas um universo.

Com que facilidade e com quanta graça ela se acomodava à sua situação. Afinal, éramos uma casa esquisita, com aqueles quartos todos que deviam parecer assustadores para uma criança dos cortiços e uma criada que a havia instantaneamente adotado e lhe dado tarefas como uma mãe o faria e uma cozinheira cuja característica carranca não mudava desde a manhã até a noite. E um cego que ela levava até o trabalho e trazia de volta, e um iconoclasta com uma tosse forte e uma voz rouca que saía correndo todo dia, manhã e noite, para comprar cada jornal publicado na cidade.

Muitas vezes, quando me sentava ao lado dela para sua lição, eu caía num devaneio e simplesmente a deixava tocar, sem lhe dar qualquer instrução. Langley também se apaixonou por ela — eu sabia por sua tendência a fazer preleção quando ela estava presente. As teorias improvisadas de Langley sobre música não nos persuadiam, capazes que éramos de embarcar instantaneamente na meada sinuosa de "Jesus, alegria dos homens". Ele insistia, por exemplo, que quando o homem pré-histórico descobriu que podia fazer sons cantando ou batendo em algo ou soprando na extremidade de um osso fossilizado, sua intenção era ressoar o vasto vazio deste mundo estranho dizendo "Estou aqui, estou aqui!". E mesmo o seu Bach, mesmo o seu precioso Mozart de colete e calças amarradas nos joelhos e meias de seda, eles não faziam mais do que a mesma coisa, dizia Langley.

Ouvíamos pacientemente as ideias de meu irmão, mas nada dizíamos, e quando nada mais era dito, voltávamos à nossa lição. Numa ocasião, Mary não pôde reprimir um suspiro, que mandou Langley resmungando de volta a seus jornais. Ele e eu competíamos por ela, naturalmente, mas era uma competição que nenhum de nós podia ganhar. Sabíamos disso. Não falávamos a respeito, mas ambos tínhamos consciência de que sofríamos de uma paixão que destruiria Mary se chegássemos a tomar uma atitude. Eu tinha chegado perigosamente perto. A pequena sala de cinema ficava bem embaixo do trem elevado da Third Avenue. De poucos em poucos minutos um trem rugia sobre nossas cabeças e numa ocasião fingi que não podia ouvir o que Mary dizia. Ainda tocando com a mão esquerda, tirei a direita do teclado e apertei seu ombro frágil até que seu rosto se aproximou do meu e seus lábios roçaram minha orelha. Fiz tudo o que pude para não a tomar nos braços. Quase fiquei doente por causa de minha insensatez. Penitenciei-me comprando-lhe um sorvete a caminho de casa. Ela era uma coisinha brava, mas machucada, legalmente uma órfã. Estávamos *in loco parentis*, e sempre estaríamos. Ela tinha seu próprio quarto no último andar, ao lado do de Siobhan, e eu pensava nela dormindo lá, casta e bela, e me perguntava se os católicos não estavam certos em deificar a virgindade e se os pais de Mary não tinham sido sábios ao conferir a sua frágil beleza o nome protetor da mãe de seu Deus.

Quanto tempo Mary Elizabeth morou conosco, não lembro ao certo, mas quando fui demitido do meu emprego na pequena sala de cinema da Third Avenue — os filmes falados haviam chegado, você sabe —, Langley e eu nos sentamos para conversar e concordamos que não havia mais motivos para tê-la conosco — realmente foi mais em função de nós mesmos que chegamos a essa decisão — e, reservando as somas necessárias de nossos recursos decrescentes, a mandamos para o Colégio Júnior das Irmãs de Misericórdia, no condado de Westchester, onde ela estudaria música, francês, filosofia moral e outras matérias mais educativas que lhe garantiriam uma existência melhor. Ela ficou agradecida e não muito triste, tendo sabido de sua avó que deveria esperar, como órfã, ser mandada de uma instituição para outra na esperança de um dia encontrar uma permanência que respondesse a suas preces.

Seu toque suave no piano era algo que eu não deveria ter questionado. Ela tateava seu caminho pela música como o fazia pela vida, uma criança sem pais tentando reconquistar sua crença num mundo com algum sentido. Mas ela não fazia os outros sentirem pena dela, nem se permitia o egoísmo a que tinha todo o direito. Era ferrenhamente alegre. Quando caminhávamos até o cinema, segurava meu braço como se eu a escoltasse do jeito que um homem escolta uma mulher. Combinava seu passo com o meu, como fazem os casais. Ela sabia que eu me orgulhava de minha capacidade de circular pela cidade, e quando eu cometia um erro, tentando atravessar a rua no momento errado ou pisando no pé de alguém — porque eu tendia a caminhar com a confiança de uma pessoa dotada de visão —, ela me detinha ou me conduzia pressionando-me de forma levíssima com a mão. E dizia algo como se nada tivesse ocorrido. Aquele sujeito, dizia — como se não tivesse ouvido a buzina que soara ou o motorista que praguejara —, aquele sujeito é tão engraçado... Ele se mete em encrencas e mal consegue escapar com vida e a expressão em seu rosto nem muda. E você sabe que ele ama a mocinha e não sabe o que fazer a respeito. É uma coisa tão meiga e tola. Fico feliz por ainda estar passando esse filme. Poderia assisti-lo para sempre. E você toca o acompanhamento exato, tio Homer. Ele deveria descer da tela e cumprimentá-lo, de verdade.

* * *

NÃO AGUENTO NESTE instante falar do fim que levou Mary Elizabeth Riordan. Não passa uma noite sem que eu relembre como, quando ela ia para a escola, ficamos todos com ela na calçada esperando o táxi que a levaria com sua única mala ao Grand Central Terminal. Ouvi um carro se aproximar e todo mundo se despedindo, Langley limpando a garganta e Siobhan chorando e a Sra. Robileaux abençoando-a da porta, no alto das escadas. Contaram-me como Mary estava linda em seu casaco elegante feito sob medida que tinha sido presente nosso. Não usava chapéu nessa manhã de setembro fria, embora ensolarada. Dava para sentir tanto o calor como a brisa que o cortava. Toquei seus cabelos e senti mechas suaves que se levantavam. E quanto tomei seu rosto entre as mãos — o belo rosto fino e o queixo resoluto, as têmporas com seu pulso suave e regular, o nariz delgado e reto e os lábios macios e sorridentes —, ela pegou na minha mão e a beijou. Adeus, adeus, sussurro para mim mesmo. Adeus meu amor, minha menina, minha querida. Adeus. Como se estivesse acontecendo neste momento.

MAS AS MEMÓRIAS não são levadas temporalmente, elas se destacam do tempo e tudo aquilo foi muito depois de nossos anos de esbanjamento, quando Langley e eu saíamos quase toda noite para esse ou aquele clube noturno onde damas com meias enroladas e saias curtas sentavam--se no colo dos homens e sopravam fumaça em nosso rosto, e sub-repticiamente apalpavam no meio de nossas coxas para ver o que tínhamos ali. Alguns dos clubes eram bem elegantes, com uma cozinha excelente e uma pista de dança, e outros eram antros de porão que tocavam música de um rádio colocado numa prateleira de parede, de onde irradiava alguma orquestra de swing de Pittsburgh. Mas aonde se ia não tinha importância, era possível morrer por causa do gim em qualquer dessas espeluncas, e o clima era o mesmo por toda parte, pessoas rindo de coisas que não tinham graça. Mas fazia bem se estabelecer nesse ou naquele clube, ser admitido na porta e saudado como alguém importante. Naquelas noites peculiares da Lei Seca, bastava a Lei dizer É Proibido Beber para todo mundo ficar embriagado. Langley dizia que os bares clandestinos eram o verdadeiro caldeirão democrático. E era verdade, pois num desses clubes, o Cat's Whiskers, fiz amizade com um gângster que me disse para chamá-lo de Vincent. Eu sabia que ele era autêntico porque quando ria os outros homens à mesa riam junto. Ele ficou muito interessado em minha falta de visão, esse Vincent. Como é não ter olhos, perguntou. Eu lhe disse que não era tão ruim, que eu compensava a deficiência com outras coisas. Como, ele perguntou. Eu lhe disse que quando tomava alguns drinques eu recuperava algo da visão. Na verdade eu acreditava nisso. Sabia que estava alucinando, eu enxergava de fato, mas dentro de minha mente e do pensamento e das impressões, à medida que gerava visões do que aprendia de meus outros sentidos, e acrescentei, à guisa de detalhe, meus julgamentos de caráter e minha atração por isso ou repulsa por aquilo. Claro, quando você está sóbrio faz as mesmas deduções, sei disso, mas nessas ocasiões em que os vapores do álcool detonam as sinapses do meu cérebro, uma clareza de impressões organizadas equivalia a uma espécie de visão. Naturalmente eu não embarcava em tudo isso, eu só dizia que com um monte de barulho, música e bebida, claro, e a fumaça dos cigarros, tão densa que se podia flutuar nela, eu conseguia divisar as sombras muito bem.

Quantos dedos estou erguendo, ele perguntou. Nenhum, eu disse. Eu conhecia esse velho truque. Ele deu uma risadinha e um tapa no meu ombro. Sujeito esperto, disse. Tinha uma voz fina e sussurrante, sem melodia, exceto por um assobio que percorria a região aguda, como se um de seus pulmões tivesse um vazamento. Acendeu um fósforo e o ergueu diante do meu rosto para ver as nuvens em meus olhos. Pediu-me para descrever como ele era. Estendi o braço para tocar seu rosto e um dos seus asseclas gritou e agarrou meu pulso. Não fazemos isso, ele disse. Tudo bem, deixe-o, Vincent respondeu, e então eu toquei seu rosto e senti as faces encovadas como bexigas, o queixo pontudo e recuado, o nariz bicudo, a cabeça alargando-se no alto e os cabelos molhados espessos e ondulados que se elevavam no cocuruto como plumas. Ele ficava todo recurvado para me acomodar, e pensei num gavião talvez vestindo terno e camisa com abotoaduras. Falei isso; ele riu.

Era empolgante falar com ele como se eu fosse uma pessoa normal — sentado, conversando com alguém que você sabia que não dava a menor importância para a vida de qualquer um que discordasse dele. Descobri que geralmente era verdade, com os criminosos com os quais topávamos, que, como uma classe, eram extremamente sensíveis. A ideia de que eu poderia inadvertidamente ofender Vincent era divertida e me fazia descuidar do que dizia. Mas demonstrar nenhuma deferência acabou sendo o jeito certo de lidar com ele. E eu não fazia perguntas, não perguntava a ele — como se poderia fazer com uma pessoa normal — o que fazia, qual era sua profissão. Não importava, certo? Fosse o que fosse, fazia dele um gângster. Esse era o tipo de excitação que Langley e eu procurávamos quando saíamos naquela época, em que ainda esperávamos um retorno da vida social. Era como um domador de leões deve se sentir quando a besta está sentada em seu tamborete mas a qualquer momento pode pular sobre seu pescoço. Vincent não parava de me encher de drinques. Eu era uma de suas diversões, um cego que podia enxergar. Ele mantinha uma corte, de fato, pois as pessoas vinham cumprimentá-lo. Uma mulher que ele conhecia se hospedou em seu colo, e assim ele tinha uma nova diversão. Eu podia cheirar ambos em toda a sua glória, o charuto dele, o cigarro dela, a brilhantina nos cabelos dele, o hálito de bebida dela. Os silêncios abruptos que surgiam no meio das frases dela me diziam que ele enfiara a mão sob o seu vestido. Ao meu redor, o ruído era instrutivo. Era um clube elegante para um bar clandestino, tinha uma orquestra de dança ágil, apesar de previsível, muito balanço, a seção rítmica predominando, um banjo, um contrabaixo. A música era rápida e mecânica, embora os dançarinos não párecessem se importar, eles saltitavam e batiam os pés, atingindo o assoalho na batida mais forte. Mas também copos eram quebrados e os gritos e tumultos ocasionais me indicavam que o local podia explodir a qualquer momento. E havia sempre a possibilidade de uma batida policial, embora não com alguém como Vincent na sala. Então essa mulher que se instalou no colo dele, depois de um tempo eu a ouvi dizer, Você tem que parar com isso, querido. Uuiii, ela disse, ou então. Ou então o quê, meu bem, disse ele. Ou então venha ao banheiro feminino comigo.

Sim. Lembro-me daquela noite em particular. Quando Langley e eu demos boa noite, meu novo amigo Vincent mandou seu carro nos levar até em casa. Era um carro e tanto, com um ronco de motor profundo e bancos felpudos e um homem sentado na frente ao lado do motorista vestindo algum equivalente gângster de libré.

O carro encostou diante de nossa porta e depois que saímos ele ficou por ali um longo minuto antes de partir. Langley disse, Pois é, isso foi um erro. Ficamos parados no alto da escadaria da entrada. Devia ser 3 da manhã. Eu tinha me divertido. O ar estava revigorante. Estávamos no começo da primavera. Eu podia sentir as árvores germinando do outro lado da rua, no parque. Inspirei fundo. Sentia-me forte. Eu era forte, era jovem e forte. Perguntei a Langley por que tinha sido um erro. Agora aquela gente sabe onde moramos, não gosto disso, disse ele.

* * *

LANGLEY NÃO ZOMBOU da minha afirmação de que era capaz de enxergar quando tomava umas e outras. Você sabe, Homer, ele disse, entre os filósofos existe um debate interminável sobre se vemos o mundo real ou se apenas vemos o mundo como ele aparece em nossa mente, o que não é necessariamente a mesma coisa. Então, se esse for o caso, o mundo real é A e o que vemos projetado em nossas mentes é B, e é o melhor que podemos esperar, então esse não é um problema só seu.

Então, falei, talvez eu tenha olhos tão bons quanto os de qualquer um.

Sim, e talvez um dia, ao ficar mais velho e conhecer mais coisas e tiver mais experiências armazenadas em seu cérebro, você consiga enxergar quando sóbrio o que vê agora quando embriagado.

Langley estava convencido disso porque se encaixava perfeitamente na sua Teoria das Substituições, que ele, a essa altura, tinha transformado numa espécie metafísica de ideia da repetição ou recorrência dos acontecimentos da vida, as mesmas coisas acontecendo repetidamente, dado em especial os limites restritos da inteligência humana, sendo o *Homo sapiens* uma espécie que, em suas próprias palavras, não a tinha suficientemente. Portanto, o que se sabia do passado podia ser aplicado ao presente. Minhas visões dedutivas estavam de acordo com o projeto maior de Langley, a coleção de jornais com o objetivo último de criar uma edição de um jornal que pudesse ser lida para sempre e que fosse suficiente para qualquer dia.

Vou falar por um momento sobre isso porque, mesmo que Langley tivesse muitos projetos, o que cabia numa alma inquieta como a sua, esse foi duradouro. Seu interesse nunca arrefeceu desde o primeiro dia em que saiu para comprar os jornais da manhã até o final de sua vida, quando suas pilhas de jornais e caixas de recortes iam do chão ao teto de cada aposento da casa.

O projeto de Langley consistia em contar e arquivar notícias segundo categorias: invasões, guerras, assassinatos em massa, desastres de automóvel e de trem e de avião, escândalos amorosos, escândalos eclesiásticos, roubos, assassinatos, linchamentos, estupros, escândalos políticos com uma subdivisão de eleições fraudadas, arbitrariedades policiais, lutas de gangues, fraudes de investimentos, greves, incêndios em cortiços, julgamentos civis, julgamentos criminais e assim por diante. Havia uma categoria separada para desastres naturais, como epidemias, terremotos e furacões. Não consigo me lembrar de todas as categorias. Conforme sua explicação, ele acabaria — não disse quando — reunindo informação estatística suficiente para estreitar suas descobertas aos tipos de acontecimentos que eram, por sua frequência, comportamento humano seminal. Ele reuniria então outras comparações estatísticas até que sua ordem de modelos se fixasse de modo tal que ele saberia quais matérias sairiam na primeira página, quais sairiam na segunda página e assim por diante. As fotografias também seriam anotadas e escolhidas por sua tipicalidade, mas isso, ele reconhecia, era difícil. Talvez não devesse usar fotografias. Era uma empreitada imensa e o ocupava durante várias horas todos os dias. Ele saía correndo para comprar os jornais matutinos e à tarde para os vespertinos, e havia também os jornais especializados, as gazetas sexuais, as folhas escandalosas, os jornais do *vaudeville* e assim por diante. Ele queria fixar a vida americana finalmente em uma edição, a que ele se referia como o jornal Collyer sem data e eternamente atual, o único jornal de que alguém poderia necessitar.

Por 5 centavos, dizia Langley, o leitor teria um retrato impresso em papel-jornal da nossa vida na terra. As reportagens não teriam detalhes excessivamente particulares como nas edições comuns, porque a notícia real seria expressa em Formas Universais das quais qualquer detalhe particular seria um exemplo. O leitor ficaria sempre a par e atualizado do que estivesse acontecendo. Ficaria seguro de estar lendo as verdades indiscutíveis do dia, incluindo aquela da iminência de sua própria morte, que seria devidamente registrada como um número na caixa em branco da última página, sob o título de Obituários.

Claro que eu tinha dúvidas em relação a tudo isso. Quem iria querer comprar tal jornal? Eu não podia imaginar uma reportagem que lhe garantisse que algo estava acontecendo sem dizer onde ou quando ou a quem acontecia.

Meu irmão ria. Mas Homer, dizia, você não gastaria 5 centavos com este jornal se nunca mais tivesse que comprar outro?

Admito que isso seria ruim para o mercado de peixes, mas temos que pensar sempre no maior bem para o maior número de pessoas.

E quanto aos esportes?, perguntei.

Qualquer que seja o esporte, disse Langley, alguém vence e alguém perde.

E quanto à arte?

Se é arte, ela ofenderá antes de ser reverenciada. Há clamores para sua destruição, e só então começam os leilões.

E se acontecer algo que não tenha precedente, falei. Onde estará o seu jornal então?

Algo como o quê?

Como a Teoria da Evolução de Darwin. Como a Teoria da Relatividade, do tal de Einstein.

Ora, você poderia dizer que essas teorias substituem outras mais antigas. Albert Einstein substitui Newton e Darwin substitui o Gênesis. Não que as coisas tenham ficado mais claras. Mas concordo com você que ambas as teorias não tiveram precedentes. E daí? O que sabemos realmente? Se todas as perguntas forem respondidas de modo que conheçamos tudo que existe para se conhecer sobre a vida e o universo, o que será então? O que será diferente? Vai ser como conhecer o funcionamento de um motor de combustão. Nada mais. A escuridão ainda vai imperar.

Que escuridão?, perguntei.

A escuridão mais profunda. Você sabe: a escuridão mais profunda do que qualquer abismo marinho.

Langley nunca completaria seu projeto do jornal. Eu sabia disso, e tenho certeza de que ele também. Era um esquema tolo e narcisista que mantinha sua mente no estado de espírito que ele desejava. Parecia dar-lhe a força mental de que precisava para seguir em frente — trabalhar em algo que não tinha outro fim senão sintetizar sua sombria visão de vida. Suas energias às vezes me davam a impressão de serem pouco naturais. Como se tudo que ele fizesse fosse para se manter entre os vivos. Ainda assim ele desaparecia de vez em quando, durante dias, numa lassidão desencorajadora. Desencorajadora para mim, quero dizer. Eu me contaminava às vezes. Não parecia valer a pena fazer coisa alguma e a casa ficava igual a um túmulo.

Nem havia qualquer consolo nas putas que ninguém menos que Vincent, o gângster da voz guinchante, me mandou uma noite como um presente, seu melhor amigo cego. Jacqueline, terá de me perdoar isso; mas você mesma me disse para não ter medo e escrever o que me viesse à cabeça. Lá estavam elas à nossa porta quando nossos relógios bateram meia-noite, duas jovens cujos sorrisos largos eu podia ouvir e com um grande bolo numa mesa de rodinhas que o mesmo motorista que nos levara até em casa um mês antes empurrava ruidosamente vestíbulo adentro e uma meia dúzia de garrafas de champanhe imersas em gelo.

É preciso beber um pouco para dissolver a cautela que assola aquele que recebe um presente de um gângster. Não era meu aniversário, em primeiro lugar, e em segundo lugar porque já havia passado algum tempo desde a noite em que conhecêramos Vincent; portanto, nenhuma outra dedução era possível além de (a) éramos agora um alfinete espetado em seu mapa, e (b) podíamos estar, involuntariamente, incorrendo em alguma misteriosa obrigação.

As damas, por sua vez, pareciam cautelosas em relação a nós, ou talvez à nossa residência, Fifth Avenue por fora e aspirante a armazém por dentro. Langley e eu as convidamos a sentar-se na sala de música e pedimos licença para conferenciar. Felizmente, tanto Siobhan como a Sra. Robileaux já tinham se recolhido havia muito, portanto esse não era o problema. O problema era que aquelas profissionais não podiam ser dispensadas sem que ofendêssemos um homem de sensibilidade exagerada e possivelmente assassina. Enquanto discutíamos o problema na copa, ouvi Langley colocar taças de champanhe numa bandeja; portanto, não teríamos muito a conferenciar.

Em nossa defesa, digo que nessa época ainda éramos jovens, relativamente falando, e privados por algum tempo dos meios de expressão masculinos básicos. E, se esse gesto de um homem que mal conhecíamos parecia ameaçadoramente excessivo, era como um *potlatch* entre tribos indígenas, uma forma de engrandecimento por meio da distribuição de riqueza, e quem era Vincent senão um cacique tribal decidido a se elevar acima das opiniões dos outros? Assim, tomamos então o champanhe, que teve o efeito de apagar todos os pensamentos que não pertenciam ao momento presente. Pois nessa noite deveríamos nos elevar de nossa tristeza, ousadamente relaxados e tomados da convicção filosófica de que a vida licenciosa tinha algo a ver com aquilo.

E sobre a mulher que recebi em minha cama, digo: ela não achou humilhante ser o acompanhamento de um bolo de três andares e uma garrafa de champanhe. E eu sabia que o nome que me deu era fictício. Por isso eu tinha alguma noção, quando a brincadeira acabou e começamos a coisa séria, que alguma sabedoria conquistada governava sua vida e que ela vivia à parte do que fazia para ganhar seu sustento. Tinha graça, não era vulgar. E a outra coisa é que era muito bondosa e que a profissional que era tendia a desaparecer nos simples atos de um pequeno corpo feminino. Quando, depois de nosso ato, beijou meus olhos, quase chorei de gratidão. Depois que foi embora, depois que as duas tinham ido embora e ouvi o carro se afastando, eu tinha toda a certeza de que Vincent, o empregador delas, não podia ter conhecido aquelas putas como eu e Langley conhecemos. Era como se elas gravassem ou absorvessem em seu ser cada pessoa, a qualidade mental daquele que as tocava.

Langley disse de seu encontro apenas que foi sem sentido, dois estranhos copulando e um deles por dinheiro. Não estava preparado para admitir nossas excitações induzidas pelo champanhe. Estava convencido de que de um modo ou de outro acabaríamos pagando pela generosidade de nosso amigo gângster e que ainda teríamos notícias dele. Concordei, embora a cada ano que passava sem mais uma palavra de Vincent, o Gângster, nós o esquecíamos. Mas, àquela altura ainda, o pressentimento de Langley parecia inteiramente válido. E assim, ao meio-dia seguinte, as ternas emoções de meu embriagado eu eram derrubadas e meu espírito sombrio havia voltado a seu trono.

MESMO DEPOIS DE muitos anos desde a guerra, Langley ainda não havia encontrado uma companheira. Eu sabia que ele estava buscando. Por uns tempos ficou sério em relação a uma mulher chamada Anna. Se tinha um sobrenome, nunca o ouvi. Quando lhe perguntei como ela era, ele disse, Uma radical. Fiquei sabendo de sua existência quando ele começou a chegar em casa trazendo, de suas explorações noturnas, nada além de punhados de panfletos, que jogava na mesa lateral junto à porta de nossa casa. Medi a seriedade de sua paixão pelo invulgar ritual de toalete a que se entregava antes de sair à noite. Chamava Siobhan quando não encontrava uma gravata ou quando queria uma camisa lavada.

Mas nunca chegou a lugar algum com sua corte. Voltou para casa bastante cedo uma noite e foi até a sala de música, onde eu praticava, e sentou-se para ouvir. Então, naturalmente, parei de tocar, virei o banco e perguntei-lhe como havia sido a noite. Ela não tem tempo para jantar nem para qualquer outra coisa, respondeu ele. Vai me ver se eu for a um comício com ela. Se ficar parado numa esquina distribuindo panfletos para passantes. Como se eu tivesse que passar por esses testes. Eu a pedi em casamento. Sabe qual foi sua resposta? Uma preleção sobre como o casamento é uma forma legalizada de prostituição. Pode imaginar? Todos os radicais são assim tão insanos?

Perguntei a Langley que tipo de radical era ela. Vai saber, ele respondeu. Que diferença faz? É algum tipo de comunista-socialista-anarquista-anarco-sindicalista. A não ser que você seja um deles, não sabe dizer exatamente o que são. Quando não estão jogando bombas, estão ocupados se dividindo em facções.

Não muito tempo depois disso Langley me perguntou uma noite se eu gostaria de ir com ele a um píer na Twentieth Street, para ver Anna embarcar para a Rússia. Ela estava sendo deportada, e ele queria se despedir. Vamos, falei. Estava curioso para conhecer aquela mulher que tanto havia interessado meu irmão.

Chamamos um táxi na rua. Não pude deixar de pensar, na época, que nós quando crianças observávamos nossos pais embarcarem para a Inglaterra no *Mauretania*. Eu parava de chorar quando via o casco branco maciço e as quatro chaminés rubro-negras iguais a torres. Havia bandeiras por toda parte e centenas de pessoas na balaustrada, e o imenso navio começava a se afastar da doca com uma inteligência grande e nobre que até parecia própria. Quando seus apitos graves se faziam ouvir, meu coração quase saltava do peito. Como tudo isso era maravilhoso. E nada como a cena quando chegamos ao píer da Twentieth Street para nos despedir da amiga de Langley. Chovia. Havia algum tipo de manifestação em andamento. Fomos empurrados para trás por um cordão policial. Não podíamos nos aproximar. Que banheira tristonha, disse Langley. Os passageiros eram deportados, todo um carregamento. Postaram-se na balaustrada gritando e cantando a "Internacional", o hino socialista deles. As pessoas no píer cantaram também, embora sem sincronia. Era como ouvir a música e depois seu eco. Não a vejo, disse Langley. Apitos soaram. Ouvi mulheres chorando, ouvi policiais praguejando e usando seus cassetetes. A distância, uma sirene da polícia. Era repugnante sentir, pelos tremores no ar, o uso da força bruta oficial. E então ouvi trovões e a chuva se transformou num aguaceiro. Parecia que era a água do rio redemoinhando no céu para cair sobre nós, tão fétido era o cheiro.

Langley e eu fomos para casa e ele nos serviu doses de uísque escocês. Sabe de uma coisa, Homer, disse ele, não existe essa história de armistício.

Então veio um período em que meu irmão trazia para casa uma mulher de uma de nossas noitadas pelos clubes noturnos e depois de aguentá-la por uma semana ou um mês ele lhe dava um pontapé. Até chegou a se casar com uma senhora chamada Lila van Dijk, que viveria conosco por um ano antes que ele a chutasse.

Quase desde o começo ele e Lila van Dijk não se deram bem. Não só ela não suportava as pilhas de jornais — a maioria das mulheres que gostavam de ordem se sentia assim — como tinha a mania de mudar tudo. Tirava os móveis de lugar e ele colocava tudo de volta como estava antes. Ela se queixava da tosse dele. Queixava-se de que havia cinza de cigarro por toda parte. Queixava-se da limpeza realizada por Siobhan, queixava-se da comida da Sra.

Robileaux. Queixava-se até de mim: Ele é tão ruim quanto você, eu a ouvi dizer a Langley. Era uma mulherzinha dominadora, com uma perna mais curta que a outra e que, por isso, usava um sapato com um solado mais grosso que o outro, e que eu ouvia batucando para cima e para baixo nas escadas e de um quarto para outro enquanto seguia em seus turnos de inspeção. Eu nada havia intuído sobre a Anna de Langley — uma voz indistinta num coro de vozes num navio. Eu sabia mais do que queria sobre essa Lila van Dijk.

Casaram-se na propriedade dos pais dela, em Oyster Bay, e embora eu tivesse me vestido para a ocasião com calça de linho e blazer azul, Langley compareceu diante do pastor com sua calça folgada de veludo cotelê e a camisa aberta com as mangas arregaçadas. Tentei dissuadi-lo, mas não adiantou. E apesar de os Van Dijk terem levado aquilo com dignidade, fingindo acreditar que seu iminente genro estava vestido em algum estilo boêmio consagrado, senti que ficaram furiosos.

Lila van Dijk e Langley praticavam seus talentos de debatedores numa base diária. Eu ia ao piano para encobrir as vozes deles, e se isso não funcionasse saía para uma caminhada. O que levou à ruptura final entre eles foi o neto de nossa cozinheira, a Sra. Robileaux. Harold tinha chegado de Nova Orleans com uma mala e uma corneta. Harold Robileaux. Assim que nos demos conta de que estava na casa, convertemos uma sala de depósito no porão num local para ele ficar. Era um músico sério e praticava horas e horas por dia. Era bom, também. Pegava um hino como *"He walks with me / And he talks with me / And he tells me I am His own...*" e desacelerava o tempo para destacar os tons puros de sua corneta, um som mais adocicado que se poderia esperar de um instrumento de metal. Eu percebia que ele realmente entendia e amava seu instrumento. A música subia pelas paredes e se espalhava pelos pisos, dando a impressão de que nossa casa era o instrumento. E então, depois que interpretava um verso ou dois, o suficiente para você se lamentar de sua vida pagã, ele acelerava o andamento com pequenas síncopes balbuciantes — como em *He wa-walks with me/ And ta-talks with me and tells me/ And tells me, yes he tells me I'm his own de own doe-in* —, e, de um momento para o outro, a música se tornava um hino fervoroso e jovial que deixava a gente com vontade de dançar.

Eu já ouvira o swing no rádio e, naturalmente, frequentava os clubes que tinham orquestras de dança, mas as improvisações finais de Harold Robileaux em nosso porão me apresentaram ao jazz negro. Eu nunca dominaria aquela música, o stride piano, o blues e aquele desenvolvimento posterior, o boogie-woogie. Com o tempo, Harold, que era muito tímido, foi persuadido a subir para a sala de música. Tentamos tocar alguma coisa juntos, mas não funcionou, eu era duro demais, não tinha ouvido para o que ele podia fazer, não era capaz de improvisar como ele, pegando uma música e tocando variações intermináveis dela. Ele tentava fazer com que eu me juntasse a ele nessa ou naquela peça, era um sujeito gentil de paciência infinita, mas eu não tinha o dom, aquele talento de improvisador, aquele espírito.

Mas nos demos bem, Harold e eu. Ele era baixo, corpulento e tinha um rosto redondo e liso com aquela coloração marrom que parece diferente da pele branca, as bochechas rechonchudas e os lábios grossos — uma fisionomia perfeita, sopro e embocadura, para seu instrumento. Ouvia meu Bach e dizia, Ã-hã, certo. Falava baixo, exceto quando tocava, e era jovem o suficiente para acreditar que o mundo seria justo com ele se trabalhasse com afinco, desse o melhor de si e tocasse com todo o seu coração. Era jovem assim, embora dissesse que tinha 23 anos. E sua avó, vejam, no minuto em que ele pôs o pé na casa, toda a sua personalidade mudou, ela o adorava e cuidava do resto de nós com uma nova aceitação e entendimento. Nós o tínhamos aceitado sem um momento de hesitação, embora, como era vontade dela, ela o tivesse trazido para dentro da casa e o escondido por alguns dias, sem se dar ao trabalho de nos informar. A primeira vez que tivemos notícia de nosso pensionista foi quando ouvimos sua corneta, e foi então que ela se lembrou de vir a nós e comunicar que Harold Robileaux iria ficar por um tempo.

Eu gostava de ouvi-lo tocar. Assim como Langley também gostava — era uma nova atração em nossas vidas. Harold saía toda noite para o Harlem e acabou se unindo a outros jovens músicos, e com eles formou a própria banda e vinham todos a nossa casa. Ficamos todos felizes com isso, exceto Lila van Dijk, que não podia acreditar que Langley permitisse ao Harold Robileaux Five vir tocar sua música vulgar em nossa casa sem a consultar.

Então um dia Langley abriu a porta de casa e deixou que entrassem os passantes que tinham parado nos degraus para ouvir, e, apesar da música e da multidão reunida na sala de visitas e na sala de música — pois Langley abrira as portas de correr que havia entre elas —, bem no meio daquilo, com a corneta liderando, o tarol e a tuba mantendo a batida, o meu piano requisitado e o saxofone soprano fluindo juntos e as pessoas estalando os dedos conforme o ritmo, ouvi com minha audição acurada os gritos de Lila van Dijak no andar de cima e as respostas rosnadas e praguejadas de meu irmão, enquanto eles formalmente cuidavam de terminar seu casamento.

Isto vai custar para nós um bom dinheiro, Langley disse depois que Lila se foi. Se ela tivesse gritado apenas uma vez, se tivesse mostrado alguma vulnerabilidade, eu teria tentado ver as coisas sob seu ponto de vista, quando não em respeito a sua condição de mulher. Mas ela era intratável. Teimosa. Obstinada.

Homer, talvez você possa me dizer por que sou atraído por mulheres que não são mais que espelhos de mim mesmo.

AQUELE DIA EM que as pessoas vieram da rua para ouvir a música do Harold Robileaux Five devia estar em algum canto da mente de Langley quando, alguns anos depois, ele veio com a ideia de um chá dançante semanal. Ou talvez ele se lembrasse de como Harold falava das festas para coletar o dinheiro do aluguel em apartamentos do Harlem.

Antigamente, nossos pais davam um ocasional chá dançante, abrindo as salas públicas e convidando todos os amigos para o final da tarde. Minha mãe nos arrumava para tais ocasiões. Apresentava-nos devidamente para sermos insinceramente cumprimentados pelos convidados e, depois, a governanta nos levava de volta para o andar de cima. E Langley pode ter se lembrado da elegância dessas danças e visto alguma oportunidade de negócios em reviver o costume. Pois naturalmente tínhamos feito nossa pesquisa, indo até a Broadway, onde havia surgido uma boa dúzia de pistas de dança que cobravam 10 centavos por dança e empregavam mulheres para acompanhar os homens que chegavam sem par. Cada um de nós comprava uma tira de tíquetes e dançávamos toda ela, entregando um para cada mulher que enlaçávamos para dançar. Era uma experiência indiferente, para dizer o mínimo, estar naqueles sótãos cheios de correntes de ar frio, a atmosfera carregada de fumaça de charuto e do cheiro dos corpos, a música irradiada por alto-falantes, e quem tocava os discos às vezes esquecia quando a canção terminava e ouvia-se o clique-clique da agulha no sulco vazio ou até o rangido ruidoso quando a agulha saltava fora do sulco e deslizava pelo selo no centro do disco. E todo mundo ficava parado à espera do disco seguinte e, depois de um minuto, se nada acontecesse, os homens assobiavam ou gritavam, e todo mundo começava a bater palmas. Um desses locais tinha sido um rinque de patinação, para se ter uma ideia de quão cavernoso e sinistro podiam ser. Langley disse que era iluminado por lâmpadas coloridas que só tornavam tudo mais ordinário e que os seguranças ficavam postados de braços cruzados. As mulheres nesses lugares tendiam a ficar entediadas, pensei, embora algumas reunissem energia o bastante para perguntar seu nome e conversar amenidades. Quando estavam seguras de que você não era um policial, podiam fazer-lhe uma proposta comercial, o que acontecia mais comigo do que com Langley, já que não se vê muitos policiais cegos. Mas, em geral, eram mulheres esgotadas, já tinham trabalhado como balconistas em lojas de departamentos, ou como garçonetes, ou como datilógrafas em escritórios, e que estavam na miséria, tentando levantar algum como parceiras de dança. No final do turno, entregavam os tíquetes que haviam recolhido e recebiam sua parte. Eu podia intuir o caráter delas por sua presença física, se eram leves de manejo para dançar o foxtrote; se tendiam a conduzi-lo em vez de se deixarem conduzir; se eram indiferentes; se estavam, talvez, sob o efeito de alguma droga; se eram pesadas e até mesmo gordas a ponto de se ouvir as meias se roçando na parte interna de suas coxas enquanto dançavam comigo. E apenas a mão delas na minha mão já dizia muita coisa.

E, como devem suspeitar, a ideia comercial de Langley era oferecer nossas danças para pessoas que prefeririam morrer a serem vistas naquelas pistas de dança.

Para os primeiros chás dançantes vespertinos das terças-feiras, convidamos pessoas que conhecíamos, como amigos de nossos pais, e quaisquer membros de nossa geração que trouxessem consigo. Langley e Siobhan adaptaram nossa sala de jantar, desmantelando a mesa de 18 lugares, encostando as cadeiras em fileiras contra a parede e enrolando o tapete. Nossos pais tinham contratado músicos para suas danças — em geral um trio de piano, contrabaixo e tambor de corda, o percussionista normalmente usando as escovinhas suaves e sussurrantes —, mas nós tínhamos música gravada, porque muito antes da Grande Depressão, com tantas pessoas desempregadas e homens de terno e gravata encarando as filas da sopa dos pobres, Langley vinha colecionando fonógrafos, tanto os velhos modelos de mesa, que usavam agulhas de aço e um cone de som no final de um braço de cromo oco e recurvado, como as vitrolas mais atuais, algumas delas eretas sobre o assoalho como peças de mobília, com alto-falantes escondidos por trás de painéis com nervuras e tecido de trama.

As primeiras danças eram convites estritamente sociais, sem cobrança de ingresso. Durante os intervalos as pessoas sentavam-se nas cadeiras encostadas à parede, degustavam chá e se serviam de biscoitos da bandeja que a Sra. Robileaux estendia à frente de cada um. Mas, é claro, a notícia se espalhou e, depois de algumas semanas, começaram a aparecer pessoas sem convite, e começamos a cobrar ingressos na porta. Funcionou exatamente como esperávamos.

Devo dizer aqui que nós fomos contemplados, "nós" sendo eu e meu irmão, com a perda de uma boa parte do nosso dinheiro bem antes da crise do mercado, ou por causa de maus investimentos ou por nossa vida noturna exagerada e outros hábitos esbanjadores, embora na verdade estivéssemos longe da pobreza e as coisas não fossem tão ruins para nós, como para as outras pessoas. No entanto, Langley era propenso a se preocupar com as finanças quando na verdade não havia nada com que se preocupar seriamente. Eu era mais relaxado e realista em relação a nossa situação, mas não discutia quando ele previa pobreza absoluta para nós, como fazia quando cuidava das contas cada mês. Era como se quisesse ficar tão longe da Depressão quanto o resto das pessoas. Ele dizia, Veja só, Homer, como eles fazem dinheiro nessas pistas de dança arrancando-o de pessoas que não têm nenhum. Podemos fazer isso também.

As coisas acabaram saindo tão bem que havia gente demais para a sala de jantar, e, assim, a sala de visitas e a sala de estar foram igualmente desnudadas. A pobre Siobhan estava no limite de sua tolerância, empurrando móveis para os cantos, enrolando tapetes, tirando almofadas e carregando abajures Tiffany pelas escadas do porão. Langley tinha contratado homens na rua para nos ajudarem com todo esse arranjo, mas Siobhan não podia deixá-los trabalhar sem ficar em cima — cada arranhão ou lasca no assoalho a deixava angustiada. Para não falar na limpeza e na recolocação de tudo de volta a seus lugares.

Langley saiu e comprou várias dúzias de discos de música popular para que não tivéssemos de tocar as mesmas canções sem parar. Ele descobrira uma loja na esquina da Sixth Avenue com a Forty-Third Street — onde ficava o teatro Hippodrome — cujo proprietário era praticamente um musicólogo, com gravações de orquestras de swing, de *crooners* e de cantoras que nenhuma outra loja tinha. Nossa ideia geral era oferecer uma experiência social digna para pessoas que viviam com o mínimo. Não cobrávamos pela dança, mas pedíamos 1 dólar de entrada por casal — só admitíamos casais, nenhum solteiro, nada de zés-ninguém em busca de mulheres —, e o par tinha direito a duas horas de dança, biscoitos e chá e, por 25 centavos extras, uma taça de xerez. Pouco antes das 16 horas, Langley assumia seu posto na porta da frente e, dez minutos depois, quando as pessoas aguardadas haviam chegado, deixava uma bandeja de honra no vestíbulo. Um dólar não era uma quantia insignificante na época e nossos fregueses, muitos dos quais eram nossos vizinhos das transversais da Fifth Avenue, pessoas que já haviam sido prósperas e conheciam o valor de 1 dólar, compareciam prontamente ao chá dançante para tirar o máximo proveito de seu dinheiro.

Usávamos três cômodos para o evento. Langley manejava o toca-discos na sala de jantar, eu cumpria as tarefas da sala de estar e, até que Langley descobrisse como equipar tudo com alto-falantes de modo que o toca-discos pudesse ser ouvido nos três aposentos, ele contratava um homem toda semana para cuidar da sala de visitas. A Sra. Robileaux era responsável pelo xerez e levava as bandejas de biscoitos caseiros para os fregueses que estivessem sentados nas cadeiras encostadas nas paredes.

Aprendi facilmente a botar o disco no prato sem muita confusão e a colocar a agulha em posição exatamente no lugar certo. Estava feliz por ajudar. Para mim, era uma experiência especial fazer alguma coisa pela qual as pessoas estavam dispostas a pagar.

Mas havia lições a aprender. Sempre que eu tocava um dos números mais agitados, os dançarinos deixavam a pista. Qualquer coisa ligeira e alegre e eles se sentavam. Eu ouvia as cadeiras sendo arrastadas. Falei para Langley, As pessoas que vêm ao nosso chá dançante não têm mais vigor. Não estão interessadas em se divertir. Vêm aqui para se abraçar uns aos outros. É basicamente isso o que querem fazer, se abraçar e se arrastar pelo salão.

Como você pode ter certeza que isso se aplica a todo casal? Langley perguntou. Mas eu tinha ouvido o som da dança deles. Deslizavam os pés, com um arrasto sinuoso e sonolento. Faziam um estranho som do outro mundo. A música preferida deles era vaporosa e lenta, especialmente se fosse tocada por uma banda inglesa de swing ruim com uma porção de violinos. Na verdade, no cômputo geral, acabei considerando nossos chás dançantes das terças-feiras como ocasiões de luto público. Nem mesmo o comunista que ficava ao pé dos nossos degraus de entrada para distribuir seus panfletos conseguia animar os dançarinos. Langley disse que ele era um sujeito pequeno, um garoto com óculos de lentes grossas e uma bolsa cheia de panfletos marxistas. Eu podia ouvir o camarada — era um tremendo estorvo, com sua voz abrasiva. Você não é o dono da calçada, dizia, a calçada é do povo! Não arredava dali, mas isso não tinha efeito, ele não tinha sorte alguma em distribuir seus folhetos. Os casais que vinham a nossa dança, com seus ternos surrados e os colarinhos esgarçados, seus casacos puídos e seus vestidos folgados, eram os próprios exploradores capitalistas que ele queria levantar para derrubarem a si mesmos.

Só Langley, o jornalista supremo, foi quem finalmente pegou um pouco do material de leitura do garoto comunista, nesse caso o *Daily Worker*, seu jornal, que não era sempre fácil de se encontrar nas bancas, e, no momento em que o fez, o garoto aparentemente sentiu que tinha cumprido sua missão e seguiu em frente e nunca mais compareceu a outro de nossos chás dançantes.

Naturalmente, eles não iam durar muito mais tempo também.

O PESADO TRABALHO doméstico que acompanhava nossa empreitada foi realmente demais para a coitada da Siobhan. Quando ela não desceu de seu quarto certa manhã, a Sra. Robileaux subiu para ver o que estava acontecendo e encontrou a pobre mulher morta na cama, um rosário entrelaçado em seus dedos.

Siobhan não tinha parentes, não que tivéssemos conhecimento, e não havia cartas na gaveta de sua mesinha de cabeceira, nada que indicasse uma vida fora de nossa casa. Mas encontramos sua caderneta de poupança. Trezentos e cinquenta dólares, uma soma considerável naqueles dias exceto pelo fato de ser as economias de toda a sua vida, mais de trinta anos trabalhando para nossa família. Ela tinha a igreja, naturalmente frequentava a St. Agnes, no West Side, na altura da Fifthieth Street, e eles cuidaram de suas exéquias para nós. O padre de lá aceitou a caderneta de Siobhan, cujos dividendos, disse ele, poderiam ser destinados para as despesas da igreja depois que o Estado tivesse resolvido toda a papelada.

A título de expiação, Langley publicou obituários pagos em cada jornal da cidade, não só os grandes, como o *Telegram* e o *Sun*, o *Evening Post* e o *Tribune*, o *Herald*, o *World*, o *Journal*, o *Times*, o *American*, o *News* e o *Mirror*, mas também no *Irish Echo* e nos jornais periféricos, como o *Brooklyn Eagle* e o *Bronx Home News* e até o *Amsterdam News*, para pessoas de cor. Seu desejo: assinalar que aquela boa e devota mulher tinha dedicado sua vida a serviço de outros e, com seu coração simples e sua paixão pela limpeza, havia enriquecido as vidas de duas gerações de uma agradecida família.

Mas, esperem: posso estar enganado quanto ao número de jornais que publicaram o obituário de Siobhan, pois a essa altura o *World* tinha se fundido com o *Telegram* e o *Journal* havia se combinado com o *American* e o *Herald* com o *Tribune* — fusões que, lembro, Langley me comunicou com alguma satisfação como os primeiros sinais da inevitável contração de todos os jornais numa edição única para todos os tempos de um só jornal, o dele.

O nosso era o único automóvel atrás do carro funerário na viagem até o Queens. Enterraríamos Siobhan numa vasta necrópole que escalava o morro com suas cruzes de mármore branco e anjos alados moldados em cimento. A Sra. Robileaux, que começamos a chamar de vovó, à maneira de seu neto, Harold, sentou-se com pompa a meu lado. Para a ocasião, usava um vestido engomado cheirando a naftalina que se encrespava à medida que ela caminhava e um chapéu cuja aba larga insistia em fatiar o lado de minha cabeça. Falou de seus medos em relação a Harold, que nessa época estava de volta a Nova Orleans. Ele afirmava em suas cartas que tinha emprego regular tocando nos clubes, mas ela temia que ele estivesse fazendo as coisas parecerem melhores do que de fato eram, para não a preocupar.

Estávamos todos numa atmosfera sombria. Com a imagem da pobre Siobhan na minha cabeça e lembrando-me de minhas viagens ao Cemitério de Woodlawn para enterrar meus pais, eu só podia pensar na facilidade com que as pessoas morriam. E havia aquele sentimento que toma conta da gente numa viagem até um cemitério seguindo um corpo num caixão — uma impaciência com os mortos, um desejo de estar de volta à casa onde se pode prosseguir na ilusão de que não a morte, mas a vida cotidiana, é a nossa condição permanente.

A NOTINHA SOBRE nós na seção "O que fazer, aonde ir" de um dos jornais vespertinos foi o primeiro sinal de problema: algo aludindo a um *taxi-dance* de classe na Fifth Avenue onde se podia esbarrar com as altas-rodas. Não sabemos como a nota foi parar ali. Langley disse, Estas pessoas dos jornais são analfabetas, como alguém pode esbarrar nas altas-rodas?

Já na dança seguinte tivemos de fechar as portas com pessoas ainda gritando para entrar. Aqueles que fomos obrigados a barrar sentaram-se nos degraus da entrada e ficaram rodando pela calçada. Eram barulhentos. Naturalmente, vieram queixas das residências ao sul da nossa: uma carta de articulada reprovação, entregue pessoalmente pelo mordomo de alguém, e um telefonema raivoso de uma dona que não quis dizer o nome, embora talvez tenha havido mais do que um telefonema e de mais de uma pessoa. Indignação. Ressentimento. Esse bairro já foi melhor. E, naturalmente, um dia houve a visita de um policial, embora ele não parecesse agir sob a influência das queixas de nossos vizinhos. Tinha sua própria visão, um tanto cordial, do problema.

De pé diante da porta aberta ele trouxe consigo uma brisa fria. Anunciou em tom bastante formal que era contra a lei operar uma empreitada comercial numa residência na Fifth Avenue. Então, sua voz com bafo de uísque amaciou: Mas vendo que vocês são gente respeitável, estou inclinado a relevar a questão em troca de uma generosa doação de, digamos, 15 por cento da arrecadação semanal para a Liga dos Beneficiários da Polícia.

Langley disse que nunca ouvira falar na Liga dos Beneficiários da Polícia e perguntou quais eram suas atividades.

O policial pareceu não ouvir. Deixo a contabilidade por sua conta em boa-fé, *Sr. Coller*, e passarei aqui numa quarta-feira de manhã para a entrega sem fazer perguntas, mas com um piso de 10 dólares.

Langley perguntou: O que quer dizer por "um piso"?

O policial: Ora, meu senhor, não valeria despender meu tempo por menos que isso.

Langley: Entendo que as questões criminais nesta cidade exijam seu tempo, oficial. Mas o senhor deve saber que não cobramos muito por nossas danças, nós a ofereceremos mais como uma espécie de serviço de utilidade pública. Se tivermos quarenta casais numa tarde é muito. Acrescente a isso nossos custos: alguns acepipes, despesas de trabalho, e, ora, acho que pensaríamos em apoiar sua Liga dos Beneficiários da Polícia com um suborno ou, como o senhor chama, um piso de talvez 5 dólares por semana. Mas para isso esperaríamos, naturalmente, que o senhor ficasse na porta toda terça-feira e cumprimentasse os fregueses com seu quepe.

Ora, ora, *Sr. Coller*, se dependesse de mim, eu diria "feito". Mas tenho meus custos também.

Que seriam...?

Meu sargento no distrito.

Ah, sim, Langley disse para mim, agora estamos chegando lá.

A voz de meu irmão tinha se tornado mais rascante. Eu sabia que ele estava se divertindo com o sujeito. Pensei em chamá-lo de lado e pedir que reconsiderasse a questão, mas ele estava no embalo. O senhor realmente imaginou, disse ao oficial, o senhor pensou que os Collyer cederiam a uma pressão de um departamento policial? Em meu vocabulário isso se chama extorsão. Por isso, se existe alguém aqui desrespeitando a lei é o senhor.

O policial tentou interrompê-lo.

O senhor veio à porta errada, oficial, disse Langley. O senhor é um ladrão, pura e simplesmente, o senhor e o seu sargento. Posso respeitar a verdadeira criminalidade ousada, mas não a corrupção dissimulada e chorosa do seu tipo. O senhor é uma desgraça para a farda. Eu o denunciaria aos seus superiores se eles não fossem a mesma miserável casta de mendigos. Agora queira sair de nossa propriedade, senhor! Fora daqui, fora!

O policial disse: O senhor tem uma língua afiada, *Sr. Coller*. Mas se é este o seu prazer, vamos nos ver novamente.

Enquanto o policial descia os degraus, Langley berrou algo que não vou repetir e bateu a porta.

Os esforços de Langley provocaram um de seus acessos de tosse. Era penoso ouvir sua tosse sibilante e grave vinda das profundezas do pulmão. Fui à cozinha e lhe trouxe um copo d'água.

Quando se acalmou eu lhe disse, Seu discurso foi muito bom, Langley. Teve até uma conotação musical.

Aleguei que ele era uma desgraça para a farda. Isso foi errado. A farda é uma desgraça.

O policial disse que nos verá novamente. Fico pensando o que isso quer dizer.

Quem liga para isso? Policiais são bandidos com distintivos. Quando não estão coletando subornos, estão surrando as pessoas. Quando ficam entediados, atiram em alguém. Esse é o nosso país, Homer. E foi para a maior glória deste país que tive meus pulmões queimados.

* * *

DURANTE UMA SEMANA ou duas, o caso parecia encerrado. Então, durante uma de nossas danças, lá estavam eles, como se aquele policial isolado tivesse se reproduzido até que múltiplos seus passassem a exibir os músculos pelas salas, mandando todo mundo sair. As pessoas não entenderam. De repente começou uma confusão — luta, gritaria, pessoas se atropelando. Todo mundo tentava sair, mas a polícia, empurrando as pessoas, expulsando-as, esforçava-se por criar um tumulto. A banda que eu tinha colocado no toca-discos momentos antes continuava tocando como se em outra dimensão. Quantos policiais havia lá, eu não sei. Eram barulhentos e sufocavam a atmosfera. A porta da frente foi aberta e um vento gélido soprou da avenida. Eu não sabia o que fazer. Os gritos que ouvia podiam ser de alegria. Com tantos corpos na sala, eu tinha a ideia maluca de que os policiais estavam dançando em peso, uns com os outros. Mas nossos infelizes dançarinos do chá estavam sendo tocados porta afora como gado. Vovó Robileaux estava perto de mim com sua bandeja de biscoitos. Ouvi um gongo retumbante, o som de uma salva de prata caindo sobre um crânio. Um grito de um homem e então uma chuva de biscoitos, como granizo, salpicando o assoalho. Eu estava calmo. Parecia-me de extrema importância parar a música, portanto tirei o disco do prato e ia colocá-lo na capa quando foi arrancado de minhas mãos e o ouvi quebrar-se no chão. A vitrola foi puxada e jogada contra a parede. Sem saber o que fazia — foi instintivo, um impulso animal, como o tapa de um urso, mas uma coisa mais preguiçosa, uma distração de um homem sem vista —, joguei o punho no ar e atingi algo, um ombro, eu acho, e recebi em troca um golpe no plexo solar que me lançou ao chão ofegante. Ouvi Langley gritar, Ele é cego, seu idiota.

E assim terminou o chá dançante semanal na casa dos irmãos Collyer.

FOMOS ACUSADOS DE manter uma empresa comercial numa área exclusiva de residências, de servir álcool sem autorização e de resistir à prisão. Notificamos os advogados que eram os executores do espólio de nossos pais. Eles agiram prontamente, mas não a tempo de nos poupar de uma noite na cadeia. Vovó Robileaux também foi conosco e pernoitou na ala feminina.

Não consegui dormir — não só por causa de todos os bêbados e maníacos barulhentos nas celas contíguas —, eu não engolia o espírito vingativo daqueles homens da polícia que tinham invadido nossos aposentos como se estivéssemos gerindo um dos bares clandestinos da época da Lei Seca. Fiquei injuriado por ter sido agredido e não saber por quem. Não havia jeito de vingar aquilo. Não houve apelação. Eu nada podia fazer exceto sofrer meu desamparo. Não conheço um sentimento mais desolador que esse. Pela primeira vez na vida sentia-me um homem incompleto. Encontrava-me em estado de choque.

Langley ficou calmo e reflexivo, como se fosse a coisa mais natural estar sentado na cadeia às 3 da manhã. Disse que tinha salvado da destruição uma caixa cheia de discos.

Naquele momento eu não dava a mínima. Você vai em frente com as faculdades de que dispõe quase como se fosse normal. E então algo acontece e você se dá conta do quanto é incompleto, defeituoso.

Homer, disse Langley, tenho uma pergunta. Antes de começarmos a tocar discos para as pessoas, nunca prestei muita atenção a canções populares. Mas elas são coisinhas poderosas. Grudam na nossa mente. Então o que faz de uma canção uma canção? Se você colocar uma letra nos seus estudos ou prelúdios ou em qualquer daquelas outras peças que gosta de tocar, ainda não seriam uma canção, seriam? Homer, está me ouvindo?

Uma canção é geralmente uma música muito simples, falei.

Como um hino?

Sim.

Como "God Bless America"?

Sim, como essa, falei. Tem de ser simples para que qualquer um possa cantá-la.

Então é isso? Homer? Então é isso?

Tem também um ritmo fixo que não muda do começo ao fim.

Claro! Langley disse. Nunca tinha me dado conta disso.

As peças clássicas têm ritmos múltiplos.

Existe arte nas letras também, disse Langley. As letras são quase mais interessantes que a música. Elas reduzem as emoções humanas à sua essência. E tocam em coisas profundas.

Como o quê?

Bem, aquela música em que ele diz que às vezes é feliz, às vezes é triste.

"... meu estado de espírito depende de você."

Sim, mas e se ela estiver dizendo a mesma coisa ao mesmo tempo?

Quem?

A mulher; quer dizer, e se o estado de espírito dela depende dele ao mesmo tempo em que o dele depende dela? Nesse caso, uma das duas circunstâncias prevalecerá: ou eles se entrelaçarão num estado imutável de tristeza ou felicidade, caso em que a vida seria insuportável...

Isso não é bom. E qual é a outra circunstância?

A outra é que se começassem dissincronicamente, e cada um dependesse do estado de espírito do outro, haveria esse estado constante de alternância correndo entre eles, da infelicidade à felicidade e assim por diante, de modo que cada um seria levado à loucura pela instabilidade emocional do outro.

Sei.

Por outro lado, tem aquela canção sobre o homem e sua sombra.

"Me and My Shadow". Essa mesmo. Ele caminha pela avenida sem ninguém para conversar exceto sua sombra. Então é o problema oposto. Pode imaginar um universo assim, com apenas sua sombra para conversar? É uma canção típica da metafísica germânica.

Naquele momento um bêbado começou a gritar e a gemer. E aí outras vozes começaram a gritar e a berrar para que ele se calasse. Mas então, subitamente como começou, silenciou.

Langley, falei. Eu sou sua sombra?

Na escuridão eu escutava. Você é meu irmão, disse ele.

MAIS OU MENOS uma semana após a nossa noite na cadeia fomos com vovó Robileaux a uma audiência em que nossos advogados fizeram com que as acusações contra nós fossem retiradas. Quanto a manter um negócio numa zona residencial, eles forneceram a contabilidade de Langley para demonstrar que os pequenos lucros de cada chá dançante eram absorvidos pelas despesas, em decorrência do quê, em certo sentido, era verdade o fato de nossos eventos serem um serviço público. Quanto a resistir à prisão, aquela denúncia só fora feita contra mim, um cego, e à Sra. Robileaux, uma negra baixinha com a idade de uma avó, dos quais nenhuma pessoa de bom-senso esperaria, mesmo que reagíssemos com medo, algo que a polícia de Nova York pudesse definir como resistência. O juiz disse que, em seu entendimento, a Sra. Robileaux golpeara com uma bandeja a cabeça de um oficial que queria prendê-la. Ela negava aquilo? Oh, não, senhor juiz, seguramente não nego nada que fiz, disse vovó, e o faria de novo como uma mulher de respeito para me defender das mãos de qualquer diabo branco que quisesse me maltratar. O juiz ponderou sobre essa resposta com um risinho abafado. Quanto à última acusação, servir bebida alcoólica sem licença, certamente que um gole de xerez, disse nosso advogado, não poderia seriamente ser considerado crime. A esta altura o juiz disse, Xerez? Serviam xerez? Valha-me Deus, eu também gosto de um golinho disso antes do almoço. E assim as acusações foram retiradas.

No RASTRO DA batida policial, a casa parecia cavernosa. Nos aposentos que tinham sido esvaziados para a dança, não conseguimos desenrolar os tapetes, trazer os móveis de volta aonde estavam antes e recolocar tudo em seus lugares originais. Nossos passos ecoavam, como se estivéssemos numa caverna ou num cofre subterrâneo. Embora a biblioteca ainda tivesse livros e na sala de música ainda houvesse os pianos, eu sentia como se já não estivéssemos mais na casa em que havíamos vivido desde a infância, mas num novo lugar, ainda não vivido, sua marca ainda a ser impressa em nossas almas. Nossos passos ecoavam pelos cômodos. E o odor das pilhas de jornais de Langley — elas tinham, como um lento fluxo de lava, transbordado de seu estúdio para o patamar da escada no segundo andar —, aquele odor passou a ser aparente, um cheiro bolorento que se fazia notar principalmente em dias de chuva ou de umidade. Havia um monte de entulho para limpar, todos os discos despedaçados, os fonógrafos quebrados e outras coisas mais. Langley tratava tudo como um salvamento, inspecionando os objetos e instalações em função de seu valor — fiação elétrica, toca-discos, pernas de cadeiras rachadas, copos lascados — e arquivando as coisas, segundo sua categoria, em caixas de papelão. Isso exigiu vários dias.

Naturalmente, eu não entendia aquilo como tal, mas esse período marcou o começo de nosso abandono do mundo exterior. Não foi apenas a batida policial e a visão negativa dos vizinhos em relação a nossas danças, entendam. Ambos havíamos fracassado em nossas relações com as mulheres, uma espécie que agora na minha mente parecia pertencer ou ao céu, como era o caso de minha querida e inatingível aluna de piano Mary Elizabeth Riordan, ou ao inferno, como certamente era o caso da sedutora ladra Julia. Eu ainda esperava encontrar alguém para amar, mas sentia, como nunca sentira antes, que minha cegueira era uma deformidade física tão capaz de afastar uma mulher atraente quanto uma corcunda ou uma perna aleijada. Minha sensação de ser uma criatura defeituosa sugeria o curso mais sábio da reclusão como um meio de evitar o sofrimento, a aflição e a humilhação. Não que esse fosse meu estado de espírito permanente, com o tempo eu viria a descobrir meu verdadeiro amor — como você deve saber, minha querida Jacqueline —, mas o que tinha fugido de mim naquela altura era o vigor mental que vem de uma felicidade natural de se saber vivo.

Havia muito, Langley tinha reciclado sua amargura pós-guerra transformando-a numa vida mental iconoclasta. Como aconteceu com a inspiração dos chás dançantes, ele a partir de então daria plena e desinibida execução a qualquer esquema caprichoso que lhe ocorresse.

Eu mencionei no que se transformou a vasta sala de jantar? Um retângulo volumoso de pé-direito alto que sempre teve uma qualidade de vazio, mesmo nos dias pré-dança, com seu tapete persa, suas tapeçarias, aparadores e arandelas em forma de tochas, sua luminárias de pé e sua mesa de jantar império com 18 lugares. Eu nunca tinha gostado da sala de jantar, talvez porque não tivesse janelas e ficasse no lado norte, o lado mais frio da casa. Aparentemente Langley tinha os mesmos sentimentos porque a sala de jantar foi o local que escolheu para instalar o Ford Bigode.

TENDO CAÍDO DE cama com gripe, eu não fazia ideia do que ele tramava. Ouvi aqueles estranhos barulhos no andar de baixo — ruídos que retiniam, gritos, calafrios metálicos, fragores, e um ou dois estrondos de tímpanos que sacudiram as paredes. Ele trouxera o carro desmontado, os pedaços foram alçados do quintal por guincho e corda, carregados pela cozinha e então remontados na sala de jantar como se ali fosse uma garagem, no que de fato acabou transformada, com direito inclusive a cheiro de óleo de motor.

Não tentei investigar, preferindo compor uma imagem a partir dos sons que ouvia deitado na cama. Pensei que podia ser uma escultura de bronze, tão imensa que vinha em partes e tinha de ser montada. Uma figuração equestre, por exemplo, como a estátua do general Sherman ao pé do Central Park na esquina da Fifty-Ninth

Street com a Fifth Avenue. Havia pelo menos vozes de dois outros homens, muito grunhido e muita martelada e, acima de tudo, o chiado de meu irmão elevado a um grau de empolgação fora do comum, beirando a alegria, por isso eu soube que ali estava sua nova grande empreitada.

Depois de um dia ou dois, vovó Robileaux bateu em minha porta e, antes que eu pudesse dizer Entre, ela estava diante de minha cama com uma sopa de sua própria receita. Posso sentir seu cheiro agora quase como se estivesse inalando seus temperos — uma fervura espessa com quiabo, nabos, couve, arroz e tutano, entre outros ingredientes de seu conhecimento arcano. Sentei-me na cama e a bandeja foi colocada em meu colo. Obrigado, vovó, falei.

Eu não podia me aconchegar porque ela ficou parada à espera de dizer algo.

Não me conte, falei.

Eu sabia que quando seu irmão voltou daquela guerra não estava bom da cabeça.

Era a última coisa que eu queria ouvir. Tudo bem, eu disse. Não precisa se preocupar.

Não, senhor, preciso contestar isso. Ela sentou-se ao pé da cama, o que fez a bandeja se inclinar. Segurei-a e esperei que continuasse, mas só ouvi um suspiro de resignação, como se ela estivesse sentada com a cabeça curvada e as mãos unidas em prece. Vovó me havia assumido de uma maneira proprietária ou até maternal, desde que Harold Robileaux voltara para Nova Orleans. Talvez porque eu e ele tivéramos feito música juntos, ou talvez por ser ela própria o único membro remanescente da criadagem desde a morte de Siobhan, precisava encontrar comunhão com alguém na casa. Eu podia entender por que Langley não era um candidato.

E então ela desabafou. O assoalho todo marcado com as botas deles, a porta dos fundos arrancada das dobradiças, coisas mecânicas pretas, peças de automóvel passando pela janela balouçantes como roupas num varal. E não é só isso, disse ela, isso é só o pior. Esta casa inteira está suja e começando a cheirar mal, não há ninguém para mantê-la limpa.

Eu disse: Coisas de automóvel?

Talvez você possa me dizer por que um homem que não perdeu o juízo traz um automóvel de rua para dentro de casa, disse ela. Se é que é um automóvel.

É ou não é? perguntei.

Mais parece uma carruagem do inferno. Agradeço ao Senhor que o Dr. e a Dona Collyer estejam seguros em suas sepulturas, pois isto lhes renderia uma morte pior do que a que tiveram.

Ela ficou sentada ali. Eu não podia deixar que visse meu espanto. Não deixe isso incomodá-la, vovó, falei. Meu irmão é um homem brilhante. Existe algum propósito inteligente por trás disso, posso lhe assegurar.

Naquele momento, é claro, eu não tinha a mais remota ideia do que pudesse ser.

A essa altura, final dos anos 1930, começo dos 1940, os carros eram *aerodinâmicos*. Aquela era a palavra para a última novidade em design de automóveis. Aerodinamizar os carros significava envergá-los, não deixar nenhum ângulo reto visível. Eu fazia questão de correr as mãos sobre os veículos parados junto à calçada. Os mesmos que ronronavam na estrada tinham capôs compridos e baixos, para-choques e para-lamas largos e curvos e porta-malas embutidos e corcundas. Quando me senti suficientemente bem para descer ao primeiro andar, disse a Langley, Se resolveu trazer um carro para dentro de casa, por que não um modelo moderno do último tipo?

Essa foi a minha piada quando sentei no Ford Bigode e acrescentei pontos de exclamação à frase com dois rápidos apertos no bulbo de borracha da buzina. As buzinadas pareceram ricochetear por toda a sala e lançar ecos caricatos até o andar superior.

Langley levou minha pergunta a sério. Era barato, uns poucos dólares, disse ele. Ninguém quer uma coisa velha destas que precisa ser acionada por manivela.

Ah, isso explica tudo. Bem que eu disse à vovó Robileaux que havia uma explicação racional.

Por que isso deveria preocupá-la?

Ela se pergunta por que algo da rua tem de estar na sala de jantar. Por que algo feito para o lado de fora está do lado de dentro.

A Sra. Robileaux é uma boa mulher e deveria se limitar a cozinhar, disse Langley. Como você pode fazer uma distinção ontológica entre lado de fora e lado de dentro? Na premissa de que fica seco quando chove? Quente quando está frio? O que afinal pode ser dito a respeito de ter um teto sobre sua cabeça que seja filosoficamente significativo? Chamem isto de o mundo implacável de Deus.

A verdade é que Langley não sabia dizer por que havia colocado o Ford Bigode na sala de jantar. Eu sabia como sua cabeça funcionava: ele havia agido a partir de um impulso impensado. Ao ver o carro numa de suas caminhadas de colecionador pela cidade, instantaneamente decidira que precisava possuí-lo, confiante de que a razão por que o considerava tão valioso acabaria depois ficando clara para ele. Mas levou um tempo. Ele ficou defensivo. Durante dias puxou o assunto, embora ninguém mais o fizesse. Ele dizia, Você não acharia este carro horroroso se o visse na rua. Mas aqui na nossa elegante sala de jantar sua verdadeira natureza de monstruosidade fica evidente.

Aquele foi o primeiro passo em seu pensamento. Poucos dias depois, quando jantávamos à noite, à mesa da cozinha, ele disse abruptamente que aquele carro antigo era nosso totem familiar. Como desagradou muito a vovó Robileaux a ideia de agora ter alguém comendo regularmente em sua cozinha, considerei a observação algo em benefício dela, porque, presumivelmente, sendo de Nova Orleans, uma cidade de crenças primitivas, ela teria de respeitar o princípio do parentesco simbólico.

Porém, todas as considerações simbólicas caíram de lado no dia em que Langley, tendo decidido que nossa conta de luz era sempre exorbitante, propôs aproveitar o motor do Ford Bigode como gerador. Puxou uma mangueira de borracha do cano de descarga por um buraco que mandou um homem perfurar na parede da sala de jantar e o conectou ao quadro de eletricidade, localizado no porão, por meio de outro furo feito no chão. Batalhou para que a coisa funcionasse, mas só conseguiu criar uma confusão, com o ruído do motor e o cheiro de gasolina fazendo com que eu e vovó saíssemos de casa numa noite particularmente intolerável. Sentamos do outro lado da rua num banco na amurada do parque e vovó anunciou, como se descrevesse uma luta de boxe, o embate entre Langley e a escuridão dominante, as luzes em nossas janelas tremeluzindo, vacilando, fulgurando e finalmente se apagando. Imediatamente a noite ficou de uma quietude abençoada. Não pudemos evitar rir.

A partir daí o Ford Bigode simplesmente ficou lá, acumulando poeira e teias de aranha, sendo recheado de pilhas de jornais e vários outros itens colecionáveis. Langley nunca o mencionou de novo, nem eu, era nossa possessão inamovível, uma condição inescapável de nossas vidas, afundada no aro de suas rodas, mas erguida de seus destroços como se desenterrada, uma múmia industrial.

Precisávamos de alguém para limpar a casa, até mesmo para evitar que vovó fosse embora. Langley reclamou do custo, mas eu insisti e ele finalmente cedeu. Usamos a mesma agência que nos tinha enviado Julia e contratamos as primeiras pessoas que mandaram, um casal japonês, o Sr. e a Sra. Hoshiyama. A ficha dos dois dizia que tinham 45 e 35 anos. Falavam inglês, eram quietos, profissionais e totalmente discretos, aceitando tudo em nossa bizarra vida doméstica. Eu os ouvia falar enquanto trabalhavam, comunicando-se em japonês, e que bela música cantavam, suas vozes de junco num intervalo de terça, as longas vogais pontuadas por breves expulsões de sopro. Às vezes eu me sentia vivendo numa xilogravura japonesa como aquela que havia na parede atrás da escrivaninha no gabinete de meu pai — as pessoas desenhadas, finas e minúsculas, diminuídas pelas montanhas cobertas de neve ou sob seus guarda-chuvas, atravessando uma ponte de madeira na chuva. Tentei mostrar aos Hoshiyama aquelas gravuras, que estavam lá desde a minha infância, para indicar minha sensata postura étnica, mas acabou sendo um movimento em falso, alcançando justamente o efeito oposto ao desejado. Somos americanos, o Sr. Hoshiyama me informou.

O casal não precisava de orientação, eles encontravam as coisas para si, e o que não conseguiam encontrar — um esfregão, um balde, um sabão, o que quer que fosse —, eles saíam e compravam com o próprio dinheiro, entregando depois os recibos a Langley para serem reembolsados. Sua noção de ordem era implacável, eu sentia uma mão em meu braço gentilmente me ordenando para me levantar do banco do piano quando chegava a hora de espanar o velho Aeolian. Chegavam pontualmente às 8 toda manhã e saíam às 6 da tarde. Estranhamente, sua presença e sua diligência incansável davam-me a ilusão de que meus dias tinham algum propósito. Ficava sempre triste quando eles partiam, como se minha animação não fosse minha, mas um empréstimo da deles. Já Langley os aprovava por uma razão diferente: tratavam suas várias coleções com respeito. Por exemplo, seu monte de brinquedos quebrados, de aeromodelos, soldadinhos de chumbo, tabuleiros de jogos, e assim por diante, alguns deles inteiros, outros não. Langley, quando trazia algo para casa, não se incomodava de fazer nada com o objeto, apenas o jogava numa caixa de papelão, junto com tudo mais que encontrava. O que eles faziam, os Hoshiyama, era uma curadoria desses materiais, colocando-os sobre móveis ou em estantes, esses montes desencontrados de objetos infantis descartados.

Assim, como eu ia dizendo, éramos de novo uma casa de verdade e funcionando bem, embora as coisas fossem se tornar complicadas assim que a Segunda Guerra começasse. Os Hoshiyama viviam no Brooklyn, mas uma manhã chegaram num táxi e descarregaram várias malas, um baú e uma bicicleta de dois assentos. Ouvimos toda esta azáfama no hall de entrada, e eu desci para ver o que estava acontecendo. Receamos por nossas vidas, disse o Sr. Hoshiyama, e ouvi sua mulher chorando. Tendo a força aérea japonesa bombardeado Pearl Harbor, os Hoshiyama foram ameaçados por seus vizinhos, comerciantes locais recusaram-se a atendê-los e alguém tinha jogado um tijolo contra a vidraça da casa deles. Nós somos nisseis!, gritou a Sra. Hoshiyama, querendo dizer que tinham nascido nos Estados Unidos, o que sob aquelas circunstâncias era naturalmente irrelevante. Ouvir esse casal sereno e disciplinado em tal estado de angústia era perturbador. E assim nós os acolhemos.

Instalaram-se no quarto que fora de Siobhan, no último andar, e, embora quisessem pagar aluguel ou pelo menos diminuir o salário que ganhavam, não quisemos ouvir falar nisso. Até Langley, cuja avareza aumentava exponencialmente a cada mês que passava, não conseguia exigir dinheiro deles. Surpreende-me hoje pensar como ele lidou bem com um casal cujo sentimento de ordem e limpeza deveria tê-lo deixado louco. Toda noite agora havia dois turnos no jantar: vovó nos servia e depois ela e os Hoshiyama se sentavam para comer. Um problema diplomático surgiu quando se verificou que os Hoshiyama seguiam uma dieta que não pertencia ao domínio do conhecimento de vovó e eles começaram a preparar a própria comida. Ela me disse que teve de se afastar das primeiras vezes que eles fatiaram um peixe cru e colocaram os pedaços sobre bolas de arroz cozido e aquele foi o seu jantar. Tampouco ela podia ter gostado de todo aquele tráfego em sua cozinha, um aposento espaçoso de pé-direito alto com suas cerâmicas brancas e armários abertos de porcelana, seus cepos de açougueiro e uma grande janela através da qual brilhava o sol da manhã. Era ali que ela passava a maior parte de suas horas. Eu lhe disse, Vovó, sei que deve ser difícil, e ela admitiu que era, embora tivesse pena daquelas pessoas, pois ela sabia o que significava ter sua janela quebrada por pedras.

A GUERRA CHEGOU a nossa casa sob várias maneiras. Disseram-nos para comprar bônus de guerra. Mandaram-nos economizar restos de metal e elásticos, mas isso não era nada novo. A carne foi racionada. As cortinas pesadas tinham de vedar as janelas à noite. Como proprietário titular de um carro, Langley tinha direito a um talão de tíquetes de gasolina racionada. Ele colocou seu adesivo "A" no para-brisa do Ford Bigode, mas tendo desistido da ideia de usar o motor como gerador, vendeu os tíquetes a um mecânico de uma garagem local, uma espécie de mercadinho negro que ele justificou utilizando-se de nossa situação financeira.

O projeto do jornal de Langley parecia estar em dia com o que acontecia. Ele lia as notícias toda manhã e toda tarde num estado inflamado de atenção. Por garantia, ouvíamos o noticiário da noite no rádio. Às vezes eu pensava que meu irmão extraía uma satisfação mórbida da crise. Certamente ele entendia suas possibilidades de negócios. Contribuía para o que se chamava de Esforço de Guerra vendendo as calhas pluviais de cobre e as folhas metálicas da chaminé de nossa casa. Aquilo lhe deu a ideia de vender também o forro de nogueira da biblioteca e do gabinete de nosso pai. Eu não me incomodava de perder as calhas de cobre, mas os painéis de nogueira não me pareciam relevantes para o Esforço de Guerra, e eu lhe disse isso. Ele me respondeu, Homer, muitas pessoas, funcionários públicos, por exemplo, enriquecem com a guerra. E se algum imbecil com a bunda sentada na cadeira em Washington quer painéis de nogueira para seu escritório, isso será relevante para o Esforço de Guerra.

* * *

Eu não me preocupava de verdade com nosso país, embora durante mais ou menos o primeiro ano as notícias tenham sido, em sua maioria, ruins. Não podia acreditar que nós e nossos Aliados não prevalecêssemos. Mas sentia-me completamente fora das coisas, de nenhum uso para ninguém. Até as mulheres tinham ido à guerra, servindo de uniforme ou substituindo seus maridos nas fábricas. O que eu podia fazer além de economizar as folhas de estanho da embalagem das gomas de mascar? Nesses anos de guerra eu vi minha autoestima afundar. O pianista romântico com os cabelos à Franz Liszt tinha desaparecido havia muito. Quando eu não ficava moroso, era duramente autocrítico, como se, ninguém mais notando que eu era um agregado inútil, eu mesmo garantisse que o era. Langley e eu discordávamos em relação à guerra. Ele não a via nos mesmos termos patrióticos, sua visão era olímpica, desdenhava da própria ideia de guerra exceto para apontar quem estava certo e quem estava errado. Seria isso um efeito prolongado do gás de mostarda? A guerra, a seu ver, era a única indicação óbvia da insuficiência humana. Mas havia pontos específicos nessa Segunda Guerra Mundial, em que o mal podia ser justificavelmente apontado, e eu achava essa atitude antagônica desencaminhada. Claro, nós não discutíamos, era uma característica de nossa família, desde nossos pais, que se discordássemos um do outro numa questão política, simplesmente evitávamos falar a respeito.

Quando Langley saía para suas incursões noturnas, às vezes eu tocava piano até ele voltar. Os Hoshiyama eram meu auditório. Traziam duas cadeiras de espaldar reto, sentavam-se atrás de mim e ouviam. Tinham familiaridade com o repertório clássico e me perguntavam se eu conhecia esse Schubert ou aquele Brahms. Eu tocava para eles como se fossem uma plateia cheia no Carnegie Hall. Contar com sua atenção tirava meu espírito da apatia. Eu me sentia particularmente sintonizado com a Sra. Hoshiyama, que era mais jovem que o marido. Embora falassem japonês enquanto trabalhavam, ficava claro para mim que ele a orientava. Não pedi para tocar seu rosto, é claro, mas minha sensação dela era de um ser pequeno e alinhado com olhos brilhantes. Ouvia seus movimentos enquanto se deslocava — dava passos curtos e arrastados, muito femininos, e concluí que tinha os pés virados para dentro. Quando marido e mulher trabalhavam juntos num aposento conversavam aquela conversa japonesa, eu a ouvia rir, provavelmente de alguma nova aquisição de Langley numa de suas perambulações noturnas. Sua risada era agradável, o trinado melódico de uma jovem. Toda vez que a ouvia, ali em nossa casa cavernosa, passavam-me pela mente imagens de um prado banhado de sol, e, se eu olhasse com muita concentração, podia nos ver, a Sra. Hoshiyama e eu, como um casal de quimono em uma xilogravura, num piquenique sob uma cerejeira. Quando nós três nos reuníamos à noite, e a formalidade de nossa relação diurna era suspensa, eu sentia que somente meu profundo respeito pelo Sr. Hoshiyama me impedia de roubar sua mulher. É graças a tais fantasias inofensivas que homens como eu sobrevivem.

UMA NOITE, ESTANDO Langley fora de casa, a campainha tocou e ao mesmo tempo ouvi uma batida peremptória na porta. Era muito tarde. Dois homens que se disseram do FBI plantaram-se ali. Apalpei seus distintivos. Eram ambos sujeitos polidos, e, embora já estivessem à porta, perguntaram se podiam entrar. Tinham ido buscar os Hoshiyama para levá-los em custódia. Fiquei atordoado. Quis saber por quê. Do que se trata, perguntei. O casal fez algo ilegal? Pelo que sabemos, não, disse um dos homens. Desobedeceram a lei de alguma forma? Pelo que a gente sabe, não, disse o outro. Vocês terão que me dar uma boa razão para justificar o que está acontecendo, falei, pois eles trabalham para mim. São meus empregados. São gente simples e trabalhadora, falei. Serviram-me bem e honestamente e, além do mais, chegaram até mim com excelentes referências.

Claro que eu estava sendo um idiota em dizer tudo isso, mas não podia pensar em outro jeito de adiar o que estava acontecendo a não ser inventando qualquer coisa para ir contra a intolerável teimosia daqueles agentes do FBI, que eram incomunicáveis e impermeáveis à razão. Vocês vêm aqui à noite para levar pessoas embora como se esse fosse um Estado policial? Eu queria que se sentissem envergonhados de si mesmos, o que, naturalmente, era impossível. Quando homens como esses estão executando a política do governo, são insensíveis e não podem sequer ser insultados. Estão fazendo algo que pode parecer grave e horripilante para as pessoas que eles estão ali para buscar, mas, para eles, é mera rotina.

Disseram algo a título de justificação: que tinham ido ao domicílio do casal no Brooklyn só para descobrir que os Hoshiyama haviam fugido. Em consequência, despenderam algum esforço para localizá-los. A essa altura fiquei furioso. Essas pessoas não estavam fugindo, falei. Para sua própria segurança, tiveram que deixar sua casa. Estavam sendo ameaçados fisicamente. Será que ao menos sabiam que estavam sendo procurados? E agora vocês estão achando que têm culpa de virem para cá para evitar terem as cabeças esmagadas?

Não me lembro por quanto tempo discursei assim, mas a certa altura o Sr. Hoshiyama tocou meu braço num apelo mudo para que eu parasse. Os Hoshiyama eram fatalistas natos. Era como se eles e os homens do FBI se entendessem mutuamente, de modo a fazer parecer irrelevante tudo o que eu dizia. Eles não chegaram a protestar, nem a chorar ou lamentar a situação. Depois de algum tempo, a Sra. Hoshiyama desceu as escadas com duas valises, tudo o que lhes era permitido levar. O casal vestiu chapéu e casaco — era o inverno do primeiro ano da guerra —, os homens do FBI abriram a porta e um vento glacial soprou do parque. O Sr. Hoshiyama murmurou sua gratidão e disse que escreveriam quando e se pudessem, a Sra. Hoshiyama pegou minhas mãos e as beijou, e eles partiram.

* * *

Quando Langley voltou para casa, mais tarde naquela noite, e soube o que tinha acontecido, ficou furioso. Claro que sabia do que se tratava, tendo lido em seus jornais sobre as detenções de milhares de cidadãos nipo-americanos para internamento em campos de concentração. Embora eu lhe tivesse dito que o Sr. Hoshiyama havia aberto a porta e que os agentes haviam perguntado se podiam entrar quando já estavam dentro de casa, minha ineficácia, ou estupidez, ficou demonstrada mesmo assim. Esta casa é nosso domínio inviolável, disse Langley. Não me importa que tipo de distintivo eles exibam. Você os chuta para fora e bate a porta na cara deles, isso é o que tem de fazer. Essas pessoas ignoram a Constituição sempre que querem. Diga-me, Homer, como é que somos livres se isso só ocorre por condescendência deles?

Assim, por um dia ou dois senti da mesma forma como Langley se sentia em relação à guerra: o inimigo trazia à tona seus instintos primais adormecidos, ele ligava os circuitos primitivos de seu cérebro.

Langley e eu adorávamos a bicicleta de dois assentos do casal, que eles foram forçados a deixar para trás. Ela ganhou um local de honra embaixo das escadas. Eu disse que deveríamos passear com ela a fim de mantê-la em ordem para quando os Hoshiyama voltassem. E assim criamos o hábito de sair de bicicleta quando o tempo estava bom.

Eu ficava muito estimulado ao pedalar. Era bom fazer algum exercício. Tinha momentos de dúvida com Langley assumindo a direção porque ele podia se distrair ao ver algo de interesse na rua ou na vitrine de uma loja. Mas isso só aumentava o arrojo da empreitada. Entrávamos e saíamos de ruas laterais e tirávamos prazer das buzinas que soavam atrás de nós. Essa atividade durou toda uma primavera, até que um pneu estourou quando dobramos uma esquina muito abruptamente. A estratégia de Langley para consertar o pneu era trocá-lo. No tempo de guerra, porém, não se encontrava nada novo que fosse feito de borracha, e assim, por algum tempo, ele pegava bicicletas de segunda mão aqui e ali para ver se conseguia um jogo de pneu. Nunca o conseguiu, e a bicicleta de dois assentos ficou para sempre apoiada nos seus dois guidões na sala de estar, com algumas outras bicicletas encostadas à parede para lhe fazer companhia.

Os Hoshiyama também deixaram sua coleção de pequenas esculturas de marfim — elefantes e tigres de marfim, macacos pendurados em galhos, crianças de marfim, meninos com joelhos nodosos, meninas abraçadas, senhoras de quimono e guerreiros samurais com lenços na cabeça. Nenhuma das peças era maior que um polegar, e juntas formavam um mundo liliputiano incrivelmente detalhado, revelador ao toque.

Vamos guardar todas as coisas deles até voltarem, disse Langley, embora eles nunca tenham voltado e agora eu não saiba onde estão as pequenas esculturas de marfim — enterradas em algum lugar embaixo de tudo o mais.

E assim as pessoas passam pela vida da gente e tudo o que se consegue lembrar delas é sua humanidade, uma triste coisa esporádica e sem controle, como a nossa própria.

A PORTA DE nossa casa parecia ser uma atração nos tempos de guerra. Atendíamos às batidas de velhos de preto. Falavam com sotaques tão pesados que mal entendíamos o que diziam. Langley disse que tinham barbas e cachos em volta das orelhas. E também olhos escuros assustados e sorrisos pesarosos de desculpas por nos perturbarem. Eram judeus muito religiosos, só sabíamos isso. Mostravam suas credenciais de vários seminários e escolas. Estendiam caixas de lata com fendas nas quais pediam que colocássemos dinheiro. Isso aconteceu três ou quatro vezes no curso de um mês e começamos a ficar incomodados. Não entendíamos. Langley achou que deveríamos colocar uma placa junto à porta: Mendigos Não São Bem-vindos.

Mas eles não eram mendigos. Uma manhã foi um homem sem barba que bateu à porta. Descreveu-se para mim como tendo cabelos grisalhos cortados bem curtos e uma Medalha da Vitória da Grande Guerra espetada na lapela. Usava um daqueles solidéus na cabeça, o que significava que também era judeu. O nome dele era Alan Roses. Meu irmão, que tinha um fraco por qualquer um que houvesse servido naquela guerra, convidou-o a entrar.

Acabou que Alan Roses e Langley tinham servido na mesma divisão na floresta de Argonne. Falavam como homens que descobrem um parentesco militar. Tive de ouvi-los identificando seus batalhões e companhias e relembrando suas experiências debaixo de fogo. Era um Langley completamente diferente nessas conversas — alguém que mostrava respeito e o recebia em retorno.

Alan Roses explicou-nos o mistério daqueles apelos porta a porta. Tinham a ver com o que estava acontecendo aos judeus na Alemanha e na Europa Oriental. A ideia era comprar a liberdade para famílias judias — os oficiais nazistas gostavam de usar sua política racista como meio de extorsão — e também informar o público americano. Se o público fosse sensibilizado, o governo teria de fazer alguma coisa. Um homem muito calmo e que falava com grandes e persuasivos detalhes, esse Alan Roses. Era, por profissão, professor de inglês, lecionando no sistema escolar público. Limpava a garganta com frequência como que para engolir a emoção. Eu não tinha dúvidas de que o que ele dizia era verdade, mas era ao mesmo tempo tão chocante que quase pedia para não acreditarmos. Langley disse para mim depois: Como é que aqueles velhos que bateram à nossa porta sabiam mais do que as agências de notícias?

Para Langley, era difícil, sob tais circunstâncias, manter sua neutralidade filosófica. Ele preencheu rapidamente um cheque. Alan Roses forneceu um recibo num papel timbrado de uma sinagoga do East Side. Fomos até a porta com ele, que apertou nossas mãos e partiu. Eu imaginava que ele encontraria outra porta para bater e para se sujeitar a mais embaraço — tinha a reticência de alguém que fazia, por princípio, algo para o qual era mal-equipado pela natureza.

Nos jornais de cada dia, Langley procurava as colunas de notícias. A história estava saindo nas últimas páginas, em pequenas porções e sem nenhuma apreciação da enormidade do horror. Isso combinava, disse ele, com a política do "não fazer nada" do nosso governo. Mesmo na guerra, acordos são feitos, e, se não podem ser feitos, bombardeiam-se trens, interrompe-se a operação — qualquer coisa para dar a essas pessoas uma oportunidade de luta. Você supõe que esta terra de liberdade e lar dos bravos não gosta tanto assim dos judeus? Claro que os nazistas são assassinos monstruosos. Mas o que somos nós se os deixamos ir em frente e fazer o que fazem? E o que acontece então, Homer, a nossa história de guerra do bem contra o mal? Cristo, o que eu não daria para ser outra coisa que não um ser humano.

A CONTRARIEDADE DE Langley evoluiria. Como poderia não evoluir? Quando soubemos que Harold Robileaux tinha se alistado — isso foi um pouco depois, não lembro em que ano da guerra —, nós exibimos um daqueles pequenos galhardetes com estrelas azuis que as pessoas colocavam em suas janelas para indicar que tinham um membro da família no serviço militar. Harold tinha se alistado e se candidatado às Forças Aéreas do Exército e fora treinado como mecânico de aviões, aquele músico com todo tipo de dons e capacidades, e quando soubemos disso ele estava do outro lado do oceano com um esquadrão de caça inteiramente negro.

Então nosso ânimo se reergueu e ficamos tão orgulhosos como qualquer família da vizinhança. Pela primeira vez nessa guerra eu me sentia parte das coisas. Os tempos haviam unido as pessoas e nesta cidade fria e de estranhos impassíveis, onde era cada um por si, um sentimento de comunidade foi como um dia de primavera surpreendentemente quente no meio do inverno, ainda que tenha sido preciso uma guerra para provocar isso. Eu saía para dar uma volta — usava uma bengala agora —, e as pessoas me cumprimentavam ou apertavam minha mão ou perguntavam se podiam me ajudar, com a impressão de que eu ficara cego lutando por meu país. "Vamos, soldado, deixe-me lhe dar uma mãozinha." Eu não achava que parecia tão jovem assim, mas talvez eu fosse tomado por um oficial de patente superior. Langley trocava cumprimentos com guardas municipais da vizinhança a caminho das coberturas dos edifícios para vigiar os céus em busca de aviões inimigos. Comprou bônus de guerra para nós, embora, eu deva dizer, não puramente por patriotismo, mas porque acreditava serem bons investimentos. Houve uma frente de batalha europeia e uma frente no Pacífico, mas nós éramos a Frente Doméstica, tão importante para o Esforço de Guerra, já que enlatávamos os legumes de nossos jardins da vitória, como o próprio soldado raso.

Claro que sabíamos da existência de uma poderosa máquina de propaganda por trás de tudo isso, uma máquina que nos convocava a sufocar o inimigo maléfico que residia em nossos corações. Eu ia ao cinema com vovó apenas para ouvir os cinejornais — o estrondo dos canhões de nossos navios de guerra, o avanço das lagartas de nossos tanques, o rugido de nossos bombardeiros decolando dos campos de aviação da Inglaterra. Ela ia na esperança de ver Harold sentado num hangar de avião, erguendo o olhar de um dos motores que estivesse consertando para sorrir para ela.

Não tínhamos jardim da vitória, nosso quintal fora reservado para depósito — coisas acumuladas ao longo dos anos que tínhamos comprado ou recuperado na expectativa de sua possível utilidade em alguma ocasião do futuro: uma geladeira velha, caixas de juntas de encanamento, engradados de garrafas de leite, molas de colchão, cabeceiras de cama, um carrinho de bebê sem as rodas, vários guarda-chuvas quebrados, uma espreguiçadeira surrada, um hidrante de incêndio de verdade, pneus de automóvel, pilhas de telhas de madeira, pedaços avulsos de madeira e assim por diante. Antigamente eu gostava de sentar naquele pequeno quintal visitado brevemente por uma réstia de sol ao meio-dia. Havia uma espécie de trepadeira ali que eu gostava de imaginar como uma ramificação do Central Park, mas fiquei feliz em abrir mão do quintal somente para tirar algumas daquelas coisas da casa, porque cada quarto estava se tornando uma espécie de pista de obstáculos para mim. Eu estava perdendo minha capacidade de sentir onde se achavam as coisas. Eu não era mais o jovem de antenas infalíveis capaz de navegar jovialmente pela residência. Os Hoshiyama, quando estavam conosco, tinham trazido do porão os móveis que ficavam lá, na intenção de restaurar as coisas, mas ficou claro que isso era impossível, tudo era diferente agora. Eu era como um viajante que tinha perdido o mapa e Langley não podia ter se importado menos com o destino das coisas, e assim os Hoshiyama usaram seu próprio julgamento e, bem-intencionados que eram, inevitavelmente interpretaram erroneamente as coisas, o que só aumentava a confusão.

Ah, Senhor, então um dia o telefone tocou e surgiu aquela voz baixinha e chorosa de uma moça, quase inaudível. Era Ella Robileaux, a mulher de Harold, ligando por interurbano de Nova Orleans, e queria falar com a vovó. Eu nem sabia que Harold tinha casado. Nada sabia a respeito, mas não tinha motivo para duvidar de sua identidade, aquela criança de voz trêmula, e levei um momento para me recompor, pois entendi, sem que ela me dissesse, por que estava telefonando. Quando gritei na direção da cozinha para que vovó viesse atender, minha voz cedeu e um soluço me escapou da garganta. Era tempo de guerra, você sabe, e as pessoas não faziam telefonemas interurbanos caros só para jogar conversa fora.

Antes de ser mandado para além-mar, Harold Robileaux tinha feito um daqueles pequenos discos da Vitória que os soldados mandavam para casa a fim de que a família pudesse ouvir sua voz. Breves gravações de três minutos em discos plásticos arranhados e do tamanho de um pires. Aparentemente havia esses estúdios de gravação nas galerias próximas àquelas bases militares onde se podia tirar quatro fotos por um quarto de dólar, ou onde um faquir barbudo mecânico numa jaula de vidro erguia a mão e sorria, e adivinhava seu futuro, que vinha impresso num papel que saía por uma fenda. Então Harold mandou seu disco-V para Vovó, embora tenha levado alguns meses para chegar até nós. Até que Langley pensasse em verificar a data do carimbo, era angustiante encontrar algo de Harold em nossa caixa de correio. Entendam, isso foi depois que vovó soube por Ella Robileaux que Harold tinha morrido no norte da África. Talvez os censores do Exército tivessem de ouvir cada um desses discos-V assim como liam cada carta que os soldados escreviam, ou talvez a agência de correios em Tuskegee estivesse sobrecarregada. Em todo caso, quando o disco chegou à caixa de correio, vovó Robileaux pensou que Harold estivesse vivo, afinal. Obrigada, Jesus, obrigada, disse ela, chorando de alegria. Juntou as mãos e louvou ao Senhor e não queria ouvir nossas observações sobre uma data de carimbo. Sentamo-nos com ela diante da grande vitrola e o ouvimos. Era um disco com som de lata, mas ao mesmo tempo era Harold Robileaux, com certeza. Estava bem, disse ele, e empolgado por ter sido promovido a sargento técnico. Não podia dizer-nos para onde iria ou quando, mas escreveria assim que chegasse lá. Naquela suave cadência de Nova Orleans, disse esperar que vovó estivesse bem e pediu, por favor, que transmitisse seus cumprimentos para o Sr. Homer e o Sr. Langley. Era tudo o que se podia esperar de um soldado na circunstância, nada fora do comum, exceto, tratando-se de Harold, que ele estava com sua corneta. E, sendo Harold, colocou-a nos lábios e soprou o toque de silêncio como se oferecesse o equivalente musical de uma fotografia sua em uniforme. A qualidade do som daquela corneta superou a natureza primitiva da gravação. Um som claro, puro e comovente, cada frase elevada a sua perfeição sem nenhuma pressa. Mas por que o toque elegíaco de silêncio em vez do de alvorada, para indicar sua filiação ao Exército? Vovó pediu a Langley para tocar o disco de novo mais três ou quatro vezes, e, embora não tivéssemos coragem de desencorajá-la, talvez fosse aquele hino fúnebre solene e reflexivo, cujos tons pesarosos enchiam todos os nossos quartos repetidamente, como se Harold Robileaux estivesse profetizando sua própria morte, que a levasse a admitir para si mesma, finalmente, que seu neto havia partido. A pobre mulher, obrigada a sofrer a morte dele duas vezes, não pôde controlar as lágrimas. Deus, chorou ela, aquele era o meu abençoado menino que o Senhor levou, aquele era o meu Harold.

Langley saiu e comprou galhardetes com estrelas de ouro para as janelas da frente de todos os quatro andares, o ouro sendo a estrela para soldados que tinham feito o que os políticos chamavam de "sacrifício final", pelo que se presumia a existência de uma sequência de sacrifícios que um soldado deveria fazer — braços, pernas? — antes do sacrifício final. Geralmente um único galhardete com uma estrela azul ou dourada numa janela era publicidade ou consolo suficiente para uma residência, mas Langley nunca fazia nada igual às demais pessoas. A tristeza de meu irmão era indistinguível da raiva. Com a morte de Harold Robileaux, toda a sua atitude em relação à guerra mudou e ele disse que quando finalmente preparasse a primeira página dos despachos de guerra para seu jornal eternamente corrente e atualizado, sua posição seria explícita. Vejo todos esses jornais, disse ele, e eles podem vir da direita ou da esquerda ou do confuso centro, mas são inevitavelmente de um lugar, estão plantados como pedra numa locação que, insistem, é o centro do universo. São presunçosa e arrogantemente locais e, ao mesmo tempo, nacionalmente agressivos. Portanto, é assim que vai ser. A Edição Única Collyer para Todos os Tempos não será para Berlim ou Tóquio, ou mesmo Londres. Verei o universo exatamente daqui, assim como todos esses pasquins. E o resto do mundo poderá prosseguir com suas estúpidas edições diárias, embora, sem o saberem, eles e todos os seus leitores por toda parte terão sido fixados em âmbar.

A DOR DE vovó encheu a casa. Era silenciosa, monumental. Nossas condolências foram recebidas com indiferença. Uma manhã ela anunciou que ia deixar o emprego. Tencionava ir a Nova Orleans ao encontro da viúva de Harold, que não conhecia, uma jovem, disse ela, que poderia precisar de sua ajuda. Talvez houvesse uma criança. Vovó foi resoluta, e ficou claro para nós que se tratava de relações que ela cultivaria, juntando o que havia sobrado de sua família.

No dia da partida de vovó, ela fez café da manhã para nós, já pronta para partir, e depois lavou a louça. Ia pegar um ônibus de viagem no terminal rodoviário da Thirty-Fourth Street. Langley deu-lhe dinheiro, que ela aceitou com um aceno de cabeça régio. Ficamos parados na calçada enquanto Langley chamava um táxi. Lembrei-me do dia em que estivéramos ali para dar adeus a Mary Elizabeth Riordan. Não houve lágrimas nem palavras de despedida de vovó quando ela entrou no carro. Sua mente já estava longe dali. E com sua partida, o último membro da criadagem de nossa casa ia embora e Langley e eu éramos deixados sozinhos.

Vovó tinha sido nossa última conexão com o passado. Eu a via como alguma autoridade moral de referência à qual não dávamos atenção, mas por meio de cujos julgamentos medíamos nossa obstinação.

QUANDO A GUERRA terminou, com a vitória sobre o Japão, era um daqueles dias opressivamente fechados de agosto em Nova York. Não que alguém se importasse. Carros desfilavam ao longo da Fifth Avenue, motoristas tocando suas buzinas e gritando pelas janelas. Ficamos no alto de nossa escadaria como generais passando a tropa em revista, porque as pessoas corriam juntas umas das outras como se formassem fileiras, milhares de passos rumo ao centro da cidade em busca da festa. Eu tinha ouvido a mesma agitação, as mesmas risadas, os pés em correria como o sussurro das asas dos pássaros, no Dia do Armistício de 1918. Langley e eu atravessando a rua até o parque, onde encontramos estranhos dançando uns com os outros, vendedores de sorvete jogando picolés para a multidão, vendedores de balões soltando seu inventário ao ar. Cães sem coleira corriam em círculos, latindo, uivando e sendo pisoteados. As pessoas riam e choravam. A alegria que subia da cidade enchia o céu como um vento melodioso, como um oratório celestial.

Claro que fiquei tão aliviado quanto qualquer um pelo fim da guerra. Mas sob toda essa alegria me vi numa tremenda tristeza. Qual era a recompensa para aqueles que tinham morrido? Dias comemorativos? Em meu pensamento ouvi o toque de silêncio.

Tínhamos uma piada, Langley e eu: Alguém que está morrendo pergunta se existe vida após a morte. Sim, vem a resposta, mas não para você.

ENQUANTO CORRIA A guerra eu chegara a sentir que minha vida tinha um sentido, ou ao menos quanto às expectativas para o futuro. Mas com o advento da paz verifiquei que não havia futuro, certamente não de uma maneira que o distinguisse do passado. À luz da verdade nua eu era um homem severamente deficiente que não podia esperar para si nem sequer a mais normal e modesta das vidas — por exemplo, como trabalhador, marido e pai. Era uma nuvem ruim em meio à alegria de todo mundo. Até minha música tinha perdido a atração. Eu andava inquieto, dormia mal — na verdade, geralmente tinha medo de dormir, como se o sono fosse uma daquelas máscaras antigás que Langley trouxera para casa, com as quais eu não podia ter esperanças de respirar.

Não mencionei as máscaras antigás? Durante a guerra, ele tinha adquirido uma caixa cheia delas. Providenciou que duas de cada fossem penduradas em pregos em cada aposento da casa, de modo que, onde quer que nos achássemos, se as forças do Eixo atacassem Nova York e bombas de gás fossem lançadas, estivéssemos preparados. Levando em conta sua tosse permanente e as cordas vocais mutiladas, problemas que ele adquirira pelo fato de sua companhia não possuir máscaras antigás em 1918, não objetei quando a nuvem avançou. Mas ele insistiu em que eu praticasse a colocação da máscara, para que, quando a ocasião chegasse, eu não morresse tentando aprender a colocá-la. Ter o nariz e a boca cobertos, estando eu no escuro, era assustador. Sentia como se os sentidos de olfato e sabor também me tivessem sido subtraídos. Achei difícil respirar pelo tubo, o que significava que eu poderia evitar morrer de gás venenoso mas em vez disso morreria sufocado. Porém, fiz o melhor que pude e não me queixei, embora achasse altamente improvável um ataque alemão à Fifth Avenue.

Ao final da guerra, tendo a força produtiva da economia americana gerado um excedente de tudo aquilo de que todo soldado necessitaria, havíamos juntado, além das máscaras antigás, um estoque de material militar suficiente para equipar um exército só nosso. Langley disse que artigos de soldados eram tão baratos nos mercados de pulgas que isso se oferecia como uma oportunidade comercial. Tínhamos cartucheiras, botas, capacetes, cantis, kits de comida enlatada com utensílios de lata, chaves de telégrafo, ou "grampos", confeccionadas para o Corpo de Sinalização do Exército, um tampo de mesa cheio de calças verde-oliva, jaquetas Ike, fardas de serviço, cobertores de lã grossa, canivetes, binóculos, caixas de fitas hierárquicas e assim por diante. Era como se os tempos soprassem através de nossa casa como um vento e essas fossem as coisas depositadas aqui pelos ventos da guerra. Langley nunca chegou a planejar os detalhes de qualquer oportunidade comercial. Assim, como tudo mais, todos esses capacetes, botas etc. acabaram onde foram depositados, artefatos de alguns entusiasmos do passado, quase como se fôssemos um museu, embora com nossas riquezas ainda não catalogadas, a curadoria ainda por vir.

Nem tudo seria desperdiçado — quando nossas roupas acabaram, passamos a vestir fardas militares, calças e camisas. E botas também, quando nossos sapatos se desfizeram.

Ah, e o velho rifle M1 lubrificado que nunca deu um tiro. Essa foi uma das aquisições premiadas de meu irmão. Felizmente não encontramos cartuchos para municiá-la. Langley fez um furo para um prego pesado na cornija de mármore da lareira e penduramos o M1 por sua bandoleira. Caprichou tanto no serviço que fez o mesmo para o rifle Springfield que estava encostado lá havia quase trinta anos. Eles pendiam da lareira, os dois rifles, como meias de Natal. Nunca voltamos a tocar neles e, embora a esta altura eu não possa chegar perto da lareira, pelo que sei ainda estão lá.

EU DEVERIA DEIXAR claro que não desejava outra guerra para exaltar meus ânimos. Parecia que apenas alguns momentos tinham se passado desde o Dia V-J — foi assim que se chamou a vitória sobre o Japão —, e tínhamos caído de novo naquilo. Pensei em como fôramos tolos, todos nós, naquele dia de celebração delirante, a cidade inteira berrando sua alegria para os céus.

Quando eu tocava piano para os filmes mudos, o filme terminava e o projetista enfiava a cabeça para fora da cabina. O próximo filme já vai começar, dizia. Um momento, por favor, enquanto trocamos os rolos.

E assim estávamos em guerra na Coreia, mas, como se precisássemos de algo de maior substância, nós e os russos estávamos correndo para construir bombas nucleares maiores do que as bombas jogadas no Japão. Quantidades intermináveis delas — para jogarmos uns sobre os outros. Eu imaginava que seriam suficientes apenas duas ou três superbombas para calcinar os continentes, ferver os mares e sugar todo o ar da atmosfera, mas aparentemente eu estava enganado.

Langley tinha visto uma fotografia da segunda bomba atômica que fora usada no Japão. Uma coisa gorda e feia, disse ele, não esguia como um tubarão, como se esperaria de uma bomba respeitável. Você acharia que era algo para armazenar cerveja. No momento em que ele disse aquilo me lembrei dos barris e canecos que ele trouxera para casa de uma cervejaria que abrira falência. Ele arrastara esses barris de alumínio até a porta da frente e, então, perdera o controle, e eles saltitaram pelos degraus de pedra retinindo e estrondeando ao longo da calçada, de modo que agora eu via a bomba atômica como um barril de cerveja explosivo, deitado de lado e girando em torno de seu eixo até decidir detonar.

O problema de ouvir as notícias com Langley era que ele ficava agitado, delirava e discursava e discutia com o rádio. Na qualidade de exímio leitor de jornais, pois ele os lia todos os dias, meu irmão sabia o que estava acontecendo no mundo melhor do que os comentaristas. Ouvíamos algum deles falar e então eu tinha de ouvir o comentário de Langley. Dizia-me coisas que eu sabia que eram verdade, mas que, ainda assim, eu não queria ouvir, porque tudo aquilo aumentava minha depressão. Finalmente, ele parou de me oferecer suas visões políticas, que se resumiam a uma esperança de haver em breve uma guerra mundial nuclear na qual a raça humana se extinguiria, para o grande alívio de Deus... que agradeceria a Si mesmo e talvez voltasse Seus talentos para criar uma forma mais esclarecida de criatura num planeta novo e virgem em algum outro lugar.

Quaisquer que fossem as notícias do mundo, sem a vovó Robileaux nos defrontávamos com o problema prático de como nos alimentar. Homer, disse meu irmão, vamos fazer nossas refeições fora, vai lhe fazer bem levantar-se e sair de casa em vez de ficar sentado numa cadeira o dia inteiro sentindo pena de si mesmo.

Tomávamos nosso café da manhã no balcão de uma lanchonete na Lexington Avenue, uma caminhada estimulante de 10 ou 12 minutos. Estou só pensando por um momento na comida: serviam suco de laranja fresco, ovos em qualquer estilo com presunto ou bacon, batata rosti, torrada e café por 1,25 dólar. Eu geralmente pedia para os ovos virem como um sanduíche junto com a torrada, pois era fácil de segurar. Para um café da manhã não era barato, mas outros lugares cobravam ainda mais. Para jantar, íamos a um restaurante italiano na Second Avenue, a vinte minutos a pé de nossa casa. Eles serviam vários pratos de espaguete, ou entradas de vitela e galinha, salada de folhas e assim por diante. Não era muito bom, mas o proprietário reservava a mesma mesa para nós toda noite, e nós levávamos nossa própria garrafa de chianti, então era passável. Pulávamos o almoço completamente, mas à tarde Langley fervia água e tomávamos um chá com biscoitos.

Mas então ele reviu nossas despesas com alimentação e, esquecendo que tinha prescrito comer fora como um meio de melhorar meu estado mental, decidiu cozinhar em casa. No início, tentou reproduziu os pratos que comíamos nos restaurantes no café da manhã e no jantar. Mas eu sentia o cheiro de coisas queimando e ia tateando até a cozinha, onde o encontrava praguejando e jogando frigideiras quentes na pia; se não isso, eu me sentava pacientemente à mesa bem depois da hora costumeira do jantar, faminto e em suspense, até que algo inominável era colocado à minha frente. Langley me perguntou um dia por que eu estava tão emaciado e magro. Eu não disse, Como poderia estar, levando em conta as experiências culinárias que tenho suportado? Finalmente ele desistiu e começamos a comer enlatados, embora ainda assim ele tenha decidido que mingau de aveia era um constituinte essencial da boa saúde e passado a servir uma porção daquela coisa pegajosa todo dia no café da manhã.

Levaria algum tempo para que seu interesse pela alimentação sadia se expandisse e ele voltasse sua atenção para minha cegueira como algo curável a partir da nutrição.

O QUE LANGLEY fez para me animar foi comprar para nós um aparelho de televisão. Eu nem sequer tentei entender seu raciocínio.

Eram os primeiros tempos da televisão. Toquei na tela de vidro — era quadrada com as quinas arredondadas. Imagine-a como sendo um rádio pictórico, disse. Você não precisa ver a imagem. Apenas ouça. Não está perdendo nada: o que é estática num rádio é chuvisco na TV. E quando a imagem não fica clara, ela tende a flutuar na tela e depois a subir.

Se eu não estava perdendo nada, por que se dar ao trabalho? Mas sentei ali no interesse da ciência.

Langley tinha razão quanto à relação com o rádio. Os programas de televisão eram estruturados como os de rádio, em segmentos de meia hora ou às vezes de horas inteiras, e com as mesmas novelas durante o dia, os mesmos comediantes, as mesmas orquestras de swing e a mesma propaganda estúpida. Não havia muito sentido para mim em ouvir televisão a não ser que fosse um noticiário ou programas de variedades. As notícias eram todas sobre espiões comunistas e sua conspiração planetária para nos destruir. Isso não chegava a ser animador, mas os programas de variedades na televisão eram outra coisa. Pegamos o hábito de sintonizá-los principalmente para ver se conseguíamos responder às perguntas antes dos concorrentes. E o fazíamos com muita frequência. Eu sabia a resposta para quase tudo relacionado a música clássica e, devido ao tempo que passara cuidando dos discos nos chás dançantes, conseguia adivinhar também boa parte das perguntas sobre música popular. E era muito bom em beisebol e literatura. Langley conhecia muita coisa de história, filosofia e ciência. Quem foi o primeiro historiador, o apresentador perguntava. Heródoto! respondia Langley. E quando o concorrente demorava a responder, Langley gritava, Heródoto, seu idiota! Quem escreveu *Moby Dick*? Melville, seu idiota! E mesmo quando um concorrente tinha a resposta certa, ouvindo, digamos, a frase de abertura da Quinta de Beethoven — Da-dada-dum, os mesmos três toques breves e o toque longo que no código Morse significavam o V, o que fez dela uma peça popular durante a guerra — e dizendo que o compositor era Beethoven, nós gritávamos, Pelo menos isso, seu idiota!

Dado o nosso índice de sucesso nesses jogos de adivinhação, naturalmente cogitamos nos oferecer como participantes. Langley pesquisou brevemente sobre como se chegava lá. Aparentemente havia uma grande demanda para oportunidades nesses programas, e por que não haveria, já que havia dinheiro em jogo? O candidato mandava um currículo e submetia-se a entrevistas e testes culturais, como se o programa fosse produzido pelo FBI. Fizemos um teste de audição de um programa de meia hora e quebramos a banca. O problema, disse Langley, era que nós sabíamos demais. Não haveria suspense. E, Homer, esses participantes que chegam sorrindo como tolos são uma vergonha. Quando ganham alguma coisa, pulam para cima e para baixo feito marionetes. Valeria submeter-se a isso por dinheiro? Não! falei. Eu concordo, ele disse. É uma questão de respeito próprio.

E assim escolhemos não participar. Claro que eu tinha alguma ideia de que na ocasião não contávamos com o guarda-roupa adequado. Ele me dissera que os homens previsivelmente vestiam ternos de flanela, gravatas corretas e cabelos cortados rentes, e as mulheres, saias até as canelas, blusas com grandes colarinhos e penteados estilosos. Langley, que agora tinha uma careca de coroinha, deixara os cabelos grisalhos crescerem nos lados da cabeça até os ombros. Já minha cabeleira à Liszt a partir do centro da cabeça tinha ficado muito rala. E nossa vestimenta favorita eram as fardas verde-oliva e os coturnos, deixando para as traças nos armários nossos velhos ternos e blazers. Não nos deixariam sequer passar pela porta de entrada.

* * *

CRISTO, ALGUM DIA existiu uma invenção mais desnecessária que esta?, disse Langley. Àquela altura tínhamos outras duas TVs, que ele havia achado por aí. Nenhuma delas funcionava satisfatoriamente para ele.

Quando você lê ou ouve o rádio, disse ele, você visualiza a cena na mente. É como você diante da vida, Homer. Perspectivas infinitas, horizontes intermináveis. Mas a tela da TV achata tudo, comprime o mundo, para não falar da nossa mente. Se eu continuar assistindo a isso é melhor eu ir para a Amazônia e ter minha cabeça encolhida pelos jivaros.

Quem são os jivaros?

São uma tribo da selva que gosta de encolher cabeças. É o costume deles.

Onde ouviu isso?

Li em algum lugar. Depois que você decapita o sujeito, você faz uma incisão do alto da cabeça até o fim da nuca e então arranca todo o recheio e tudo o mais do crânio — pescoço, escalpo e rosto. Costura como se fosse uma bolsa, sutura as pálpebras e os lábios, enche com pedras e ferve a porcaria toda até que fique do tamanho de uma bola de beisebol.

E o que a gente faz com uma cabeça encolhida?

Pendura por um cabelo junto com as outras. Pequeninas cabeças em fileira balançando suavemente na brisa.

Meu Deus.

Sim. Imagine o povo americano vendo televisão.

* * *

MAS ANTES QUE desligássemos a TV para sempre, aconteceu que estavam transmitindo as audiências de uma comissão do Senado que investigava o crime organizado. Vamos dar só uma olhada nisso, disse Langley, e então sintonizamos.

Senador, dizia uma testemunha, não é segredo que na minha juventude eu era um garoto rebelde, eu cresci da maneira difícil, o que quer dizer que cumpri pena. Aquela condenação juvenil é como um pássaro morto pendurado no meu pescoço, e então vem o senhor e me intima para isto aqui.

Está negando, senhor, que é o cabeça de uma das principais famílias que lideram o crime em Nova York?

Sou um bom americano e sento-me com o senhor porque nada tenho a esconder. Pago meus impostos, vou à igreja todo domingo e contribuo para a Liga Atlética da Polícia, onde os garotos jogam bola e são mantidos longe de problemas.

Bom Deus, falei, você tem noção de quem ele é? Só pode ser! Eu reconheceria essa voz em qualquer lugar.

Se é ele, está mais pesado, disse Langley. Vestido como um banqueiro. A maioria dos cabelos se foi. Não tenho certeza.

Quem não muda em 25 anos? Não, é ele. Ouça só isto: Quantos gângsteres falam num sussurro com um chiado em dó agudo? É o Vincent, com certeza. E agora chegou ao topo de sua profissão. É um grande medalhão arrogante diante de uma comissão do Senado. Mandava-nos champanhe e mulheres e nunca mais ouvimos falar nele.

Esperava ouvir?

Eu estava sendo idiota, eu sei, insistindo naquele mau elemento. Mas não era o único. Não lembro qual foi seu testemunho, mas, depois do depoimento, os tabloides só falavam nele. Fiz Langley ler para mim: "Vincent dedoduro!", berravam em suas manchetes, como se fossem eles os traídos. E então relatavam seus supostos negócios criminosos, os concorrentes que tinham morrido misteriosamente, os vários julgamentos em tribunais dos quais havia emergido com um veredicto inocente, assim afirmando uma culpa tão vasta que a lei não podia pegá-lo, e, o que era ainda mais cheio de suspense, os arqui-inimigos que teria feito entre as outras famílias do crime. Fiquei muito impressionado.

Langley, falei, e se tivéssemos nos tornado uma família do crime? Quanto mais nos teríamos aproximado de nossos pais se tivéssemos todos trabalhado juntos gerenciando negócios de proteção, sindicatos de jogo, emprestando dinheiro às pessoas com taxas exorbitantes, cometendo todo tipo imaginável de crime, inclusive assassinatos, embora, eu não creia, prostituição?

Provavelmente não trabalharíamos com prostituição, disse Langley.

Após as audiências no Senado, Langley tirou a tomada da parede e jogou a TV num canto qualquer, e só assistiríamos a televisão de novo uma década depois, quando os astronautas pousaram na Lua. Eu nunca disse a meu irmão que à minha própria maneira podia ver a tela da televisão: eu a via como um borrão oblongo só um pouquinho mais claro do que a escuridão dominante. Eu a imaginava como o olho de um oráculo espiando nossa casa.

Meu entusiasmo por ter um dia conhecido um gângster famoso era indicativo de como estava entediado com minha própria vida. Quando, poucas semanas depois, um boletim de notícias anunciou pelo rádio que Vincent fora baleado enquanto jantava num restaurante do East Side, foi um orgulho esquisito que senti — a sensação de ser um observador de dentro, privilegiado, um sentimento de "eu o conheci" que era totalmente insensível diante da extremidade de sua situação. Afinal, eu era um sujeito que ficava sentado a maior parte do tempo em casa, vivendo sem o complemento normal de amigos e colegas, e sem nenhuma empreitada prática para ocupar seus dias, um homem que nada tinha a mostrar de sua vida exceto uma consciência atabalhoada dela — quem pode me culpar por agir como um tolo?

Foi o testemunho que ele prestou, falei a Langley. As famílias do crime não gostam de publicidade. O prefeito se sente pressionado a fazer algo, o promotor de justiça começa a se ocupar e a polícia passa a cercar as famílias.

De repente, como pode ver, eu era um perito em criminologia.

Esperei ao lado do rádio. Clientes do restaurante viram Vincent ser carregado até a limusine e levado embora. Estaria vivo ou morto? Fiquei com uma vaga sensação de expectativa. Isso é algo menor do que uma premonição, mas pode ser igualmente inquietador. Jacqueline, quando ler isto, se o fizer, você poderia pensar: Sim, a esta altura de suas vidas, o coitado do Homer estava perdendo a razão. Mas esqueça o poder oracular que eu imputava a um aparelho de TV e você fica com uma improbabilidade que tinha certa lógica em si. Hoje acho que eu desejava que acontecesse o que aconteceu, embora o que vou descrever aqui foi afinal apenas mais um acontecimento passageiro em nossas vidas — como se nossa casa não fosse nossa casa, mas uma estrada pela qual Langley e eu viajávamos como peregrinos.

QUANDO O TELEFONE tocou, eu estava sentado junto à mesa do rádio no gabinete de nosso pai. Fiquei espantado. Nunca ligavam para nós. Langley tinha ido ao seu quarto a fim de datilografar o resumo das notícias do dia para seu sistema de arquivos. Desceu as escadas correndo. O telefone ficava no hall de entrada. Atendi. Uma voz de homem perguntou, É da arquidiocese? Eu disse, Não, aqui é a residência dos Collyer. E a linha ficou muda. A arquidiocese? Talvez um minuto depois bateram à porta. Você entende, era uma barragem de sons subitamente altos, a campainha de um telefone, batidas na porta, de modo que nos deixaram totalmente sobressaltados. Quando abrimos a porta, três homens entraram impetuosamente carregando outro homem, que seguravam por baixo dos braços e das pernas, e era Vincent em carne e osso, cujo braço esticado me jogou para o lado e deixou um rastro úmido em minha camisa que era na verdade sangue seu.

O que me interessa — discuti isso muitas vezes com Langley ao longo dos anos — foi por que motivo ficamos parados ao lado da porta aberta enquanto aqueles assassinos passavam por nós, e por que, em vez de deixar a casa para eles e correr em busca da polícia, obedecemos fielmente a seus gritos e suas ordens, fechando a porta e seguindo-os enquanto erravam desajeitadamente pela casa, com Vincent uivando quando eles trombavam nas coisas, para se instalar no gabinete de meu pai, onde, entre os livros e as estantes com garrafas de fetos e compotas de órgãos, eles o fizeram sentar numa poltrona.

Estávamos curiosos, disse Langley.

Um integrante do trio de facínoras era o filho de Vincent. Massimo era seu nome. Era a voz dele ao telefone. Os outros dois eram os mesmos homens que nos tinham trazido do clube noturno para casa tantos anos antes. Eu nunca os ouvira falar mais do que uma palavra ou duas, geralmente resmungadas. Imaginava-os como de granito — duros, beirando o inanimado. A orelha esquerda de Vincent fora decepada por um tiro e, para evitar que seus perseguidores terminassem o serviço — um cartel de famílias do crime de Nova York, se eu não estava enganado —, um dos homens de granito tinha se lembrado da nossa casa e, talvez depois de rodar desesperadamente em busca de um esconderijo, chegara à conclusão de que nada mais improvável para os perseguidores do que imaginar uma residência na Fifth Avenue, e então procurara nosso telefone para ver se ainda estávamos morando ali (em oposição à arquidiocese?) e *voilà*, lá estávamos, um esconderijo seguro recém-designado para um famoso criminoso sangrando pelo que restava de sua orelha.

COM SEU CHEFE depositado na poltrona e Massimo ajoelhado a seu lado apertando um guardanapo de restaurante ensanguentado contra a orelha ferida do pai, os gângsteres pareciam incapazes de pensar no que mais deveria ser feito. Houve um silêncio, quebrado apenas pelo gemido baixo de Vincent, que, devo dizer, estava para mim totalmente desconectado com o homem em minha memória. Nada havia daquela autoconfiança suave e descontraída que eu lembrava e que esperava dele naquele momento. Foi decepcionante. Provavelmente a bala que lhe tinha arrancado um pedaço da orelha também o havia deixado com um zumbido no ouvido, mas realmente era um ferimento menor em termos do que é essencial à vida. Por isso, seu problema não era nada além de estético. Façam alguma coisa, ele resmungava, façam alguma coisa. Mas seus homens, talvez assombrados pela coleção do nosso pai de órgãos e fetos humanos boiando em vidros de formol, pelas toneladas de livros transbordando artisticamente das estantes, pelos velhos pares de pranchas de ski no canto, pelas cadeiras laterais empilhadas umas sobre as outras, os vasos de flores cheios das experiências botânicas de minha mãe, a ânfora chinesa, o relógio do vovô, as entranhas de dois pianos, os altos ventiladores, as várias valises e um baú de transatlântico, as montanhas de jornais empilhadas nos cantos e sobre a escrivaninha, a velha maleta de médico de couro rachado e o estetoscópio pendendo dela — tudo isso provas de uma vida bem-vivida —, como ia dizendo, diante de tudo isso, os homens pareciam incapazes de se mexer. Foi Langley quem tomou a iniciativa, avaliando a natureza do ferimento de Vincent e encontrando numa gaveta da mesa de meu pai rolos de gaze, esparadrapo, bolas de algodão e uma garrafa de tintura de iodo, que ele julgava estar no auge de sua potência, dados os anos de envelhecimento.

Os berros de Vincent enquanto era tratado aparentemente alertaram seus homens, pois senti algo apertado contra minhas costelas que presumi ser o cano de um revólver. Mas o momento crítico passou — Pronto, ouvi Langley dizer, enrolem isso na cabeça dele —, e em pouco tempo os berros tinham dado lugar a um gemido sufocado.

Os homens fizeram um reconhecimento e decidiram levar seu chefe para a cozinha. No andar de cima ele poderia se sentir preso como um rato numa ratoeira. A cozinha, estando mais perto da porta dos fundos, oferecia uma possibilidade de fuga rápida caso os perseguidores chegassem pela porta da frente. Trouxeram do antigo quarto de Siobhan o colchão e dois travesseiros dela. Então ali, apoiado no que tinha sido a grande mesa de pernas torneadas de vovó Robileaux — lembro que minha mãe queria um estilo rústico para a cozinha —, estava nossa celebridade do crime, petulante, com pena de si mesmo, exigente e — sem ligar para a presença de estranhos — estúpido com o filho.

Massimo parecia ter o posto de um gângster em treinamento e nada do que fazia era certo segundo o pai: se ele queria chamar o médico da família, isso era ridículo; se saía para comprar cigarros ou algo para comer, o desgraçado demorava demais. Massimo não se parecia com o pai, ou com a lembrança que eu tinha de seu pai: era um sujeito gorducho e inteiramente calvo, com uma cabeça rotunda e uma ampla papada, conforme suspeitei antes mesmo de ficarmos próximos o bastante para que me deixasse apalpar suas feições, e totalmente infeliz para um camarada que ainda não tinha chegado aos 30 anos. Eu me esforçava para tentar fazer com que não se sentisse tão mal. Seu pai está sofrendo, eu disse, e não sabe lidar com a dor. Ele é sempre assim, retrucou Massimo.

Lembro-me de pensar que, como substituto do pai, Massimo nunca chegaria lá. Eu estava errado, porém. Alguns anos depois, quando Vincent foi finalmente morto, Massimo se tornou o cabeça daquela família do crime e foi ainda mais temido do que seu pai o fora.

FOMOS LEVADOS à cozinha quando Vincent havia se acalmado o suficiente para nos ver. Era como ser conduzido a uma audiência. Quem são estas pessoas, disse ele com sua voz sibilante. Mendigos de rua em busca de uma esmola? Massimo disse, Eles moram aqui, pai. É a casa deles. Não me diga, falou Vincent. Parece que nunca viram um barbeiro, pelo cabelo deles. E esse aqui olhando para o espaço igual a um drogado? Ah, estou vendo, é cego. Cruzes, cada coisa que aparece nesta cidade. Tirem eles daqui, já tenho problemas o bastante sem ter que olhar para esses cretinos.

Fiquei chocado. Deveria ter dito a Vincent que tínhamos nos conhecido alguns anos antes? Mas aquilo seria afirmar minha humilhação. Sentia-me um tolo. Como acontece com qualquer celebridade ou político, o homem é seu melhor amigo até o momento em que não dá nenhum sinal de tê-lo conhecido. Langley, estando presente, teve a bondade de depois nunca me lembrar de minha idiotice.

NÓS OS TERÍAMOS como hóspedes durante quatro dias. Pistolas foram apontadas para nós no começo. Eu não tinha medo, e Langley também não. Ficou tão furioso que julguei que romperia um vaso sanguíneo. Massimo, por ordem do pai, tentou arrancar o fio do telefone da parede. O fio não queria ceder. Langley disse, Espere, deixe que faço isso, não temos uso nenhum para essa maldita coisa, nunca tivemos. E puxou o telefone com tanta força que ouvi pedaços de gesso saindo da parede juntos, e então ele jogou a coisa toda do outro lado da sala e quebrou o vidro de uma das estantes de livros do nosso pai.

Meu irmão e eu tínhamos de ficar o tempo todo onde pudéssemos ser vistos. Se deixávamos o aposento, um dos bandidos tinha de nos acompanhar. No segundo dia essa vigilância relaxou, e Langley simplesmente voltou para seu projeto do jornal. Na verdade, foi até ajudado pelos homens, que se revezavam de manhã e à noite saindo para comprar os periódicos e assim ver o que era dito sobre os tiros e o desaparecimento de Vincent.

Os homens ficaram assombrados com o estado do esconderijo que haviam escolhido. Não podiam entender a ausência de um meio reconhecível de se sentar. Na cabeça deles, éramos um domicílio dado a estranhas guarnições do outro mundo — como pilhas de jornais velhos na maioria das salas e nos patamares das escadas. Mas quando depararam com o velho Ford Bigode na sala de jantar, se dependesse deles teriam ido embora imediatamente. Talvez tenha sido seu espanto o que nos salvou, pois eu os ouvi falando entre si sobre como ficariam contentes em escapar desse lugar — *hospício*, eu acho, foi a palavra que usaram.

Aqui eu deveria mencionar as máquinas de escrever. Pouco antes disso, Langley decidira que precisava de uma máquina de escrever para começar a botar em ordem seu projeto magistral, o jornal único para todos os tempos. Tentou primeiro aquela que nosso pai usava. Ficava sobre sua escrivaninha de médico — uma L. C. Smith Número 2. Não era a poeira misturada à graxa que aborrecia Langley, mas a fita que havia secado e as teclas que exigiam muita pressão dos dedos. Acho que mesmo que tivesse encontrado a máquina em perfeita ordem, Langley teria saído, o que acabou fazendo, para encontrar outras, porque, assim, como em todas as questões, a gente só se contentaria com um grande sortimento de modelos. Em consequência, depois de um tempo, tínhamos uma bateria de máquinas em nossa posse — uma Royal, uma Remington, uma Hermès, uma Underwood, entre os modelos-padrão, e, como ele ficou deliciado ao encontrá-la, uma Smith-Corona equipada com teclado em braille. É a que estou usando agora. Por uns tempos, enquanto Langley se debatia com as imperfeições de cada uma das máquinas, havia uma nova música em meus ouvidos, o estalido das teclas, o tinido da campainha e o giro do cilindro. Fiquei surpreso quando ele finalmente encontrou um modelo que o satisfez. O resto recebeu o status de peça de museu, sendo descuidado e esquecido, como tudo o mais, com exceção da beleza que ele encontrara numa loja lá pelos arredores da West Fortieth Street, uma Blickensderfer Número 5 muito velha, que parecia ao meu toque uma borboleta metálica com suas asas fibrosas em pleno voo. Ela ganhou um lugar de honra sobre o lavatório no quarto de Langley.

Quando chegou o terceiro dia sem nenhum sinal de que Vincent iria embora — ele dormia a maior parte do tempo —, meu irmão e eu lentamente voltamos à rotina cotidiana de nossas vidas sem nenhuma interferência dos gângsteres, e essa situação bizarra assumiu um ar de normalidade. Langley ia datilografando seu projeto, e eu retomei meus ensaios diários ao piano. Era como se dois domicílios diferentes compartilhassem o mesmo espaço. Eles traziam a própria comida e nós tomávamos conta de nós mesmos, embora, depois de um tempo, tenha acabado tudo o que tínhamos na despensa, ao que eles começaram a deixar coisas para nós. A comida deles vinha em caixas brancas de papelão e era muito gostosa — especialidades italianas trazidas à noite —, e o regime deles era estritamente de uma só refeição. Em troca, fazíamos um café de manhã e sentávamos com eles nos degraus para o segundo andar. Quando Vincent acordava, começava a se queixar de sua cama na cozinha e a exigir, xingar e reclamar de todo mundo à vista. Transformou-nos todos numa espécie de fraternidade oprimida, e havia se tornado um fardo universal, de forma que finalmente havia uma espécie de elo — os dois irmãos e os três facínoras.

Eu imaginava que seus homens preferiam Vincent dormindo a Vincent acordado, mas eles ficavam cada vez mais nervosos enquanto esperavam espasmodicamente por suas ordens. Queriam saber agora que retaliação viria a seguir. Queriam saber o que deveria ser feito.

Na quarta manhã ouvi um estrondo terrível. Veio da cozinha. Os homens correram para lá. Eu os segui. Não havia sinal de Vincent.

Eles arrombaram a porta da despensa e o encontraram enroscando-se no canto. Ouviram isso? perguntou Vincent. Ouviram isso?

Eu ouvira, todos nós ouvíramos. Os homens estavam alerta agora, tinham sacado as armas, uma delas me cutucando as costelas. Porque lá estava, o ra-ta-tá de algo implacavelmente mecânico, como as rajadas mortais de uma submetralhadora. Vincent tinha caído ou rolado para fora de sua cama improvisada na cozinha ao acordar assustado com aquele som, presumivelmente familiar a ele durante sua longa vida de crime. Era um momento delicado e eu sabia que, se risse, aquele seria meu fim. Meramente apontei para o teto e deixei que chegassem por si só à conclusão de que era Langley em sua máquina de escrever, pois Langley era um datilógrafo muito rápido, seus dedos corriam para acompanhar seus pensamentos e seu quarto ficava bem em cima da cozinha. Que máquina de escrever ele estava usando, eu não sei — a Remington, ou a Royal, ou talvez a Blickensderfer Número 5? Ele a tinha colocado sobre uma mesa de carteado dobrável que não estava muito firme, de forma que as batidas das teclas transmitidas pelas pernas delgadas da mesa e pelo piso assumiam um tom martelado mais sinistro que, suponho, se você fosse um gângster adormecido recém-baleado, podia soar como um novo atentado contra sua vida.

Recuperando a pose, Vincent riu como se achasse aquilo engraçado. E quando ele riu, os outros fizeram o mesmo. Mas ele levara um choque e ficou num estado de alerta agressivo. Nada de voltar a dormir agora, ele era novamente o chefão do crime.

O que é esta joça? disse. Estou num ferro-velho? É isto que vocês arranjam para mim? Massimo, é o melhor que pode fazer? Olhem só para este lugar. Eu tenho que cuidar de retribuições. Tenho questões sérias pela frente. E vocês me jogam neste ninho de ratos! Eu! E onde está a inteligência de que preciso, onde está a informação com a qual eu conto? Vejo vocês olhando um para o outro. Querem me dar desculpas? Sim, existem dívidas a pagar e eu as pagarei. E quando eu apagar as luzes deles, vou me voltar para quem na família me deu esse golpe. Ou devo creditar ao acaso o fato de eu ter agora uma orelha a menos? Estou falando com vocês! Foi isso o que aconteceu, o acaso me encontrou no restaurante onde eu estava?

Seus homens sabiam que era melhor não dizer nada. Podiam até se consolar com o fato de seu chefe estar de novo em forma. Eu podia ouvi-los caminhando, empurrando coisas para os cantos da sala, jogando objetos para o lado.

LANGLEY ME CONTOU depois que, quando Vincent rodava a casa com uma das mãos sobre o buraco na orelha, ele encontrou um dos capacetes dos excedentes do Exército e o colocou na cabeça. E então sentiu a necessidade de se ver no espelho, e os homens levaram para baixo um espelho do quarto de minha mãe, um espelho feminino que podia girar.

Quando Vincent viu seu reflexo, se deu conta de que seu terno estava imundo. Tirou a roupa — paletó, calças, camisa — e, de cueca e sapatos, encontrou um uniforme militar que coube nele e disse, Ninguém vai acreditar que sou eu nesta roupa. Eu poderia sair pela porta da frente em plena luz do dia. Ei, Massimo, o que acha? Pareço alguém conhecido?

Não, pai, disse o filho.

Claro que não posso ser visto assim. O que isso não faria para minha reputação. Riu. Por outro lado, se eu estivesse com este capacete na cabeça na outra noite, ainda teria minha orelha.

Nossa máquina de lavar ficava na alcova atrás da cozinha, um modelo antigo com um torcedor de roupas acoplado. Um dos homens a encontrou e colocou as vestimentas de Vincent na máquina para tirar todas as manchas de sangue. Àquela altura, devíamos ter um bom número de ferros de passar elétricos e dois ou três ferros antigos do tipo que se colocavam no fogão para ficarem quentes. Massimo e um dos homens passaram um bom tempo tentando lavar, torcer e passar a roupa de Vincent de modo que parecesse uma simulação convincente de uma lavagem a seco.

Enquanto tudo isso acontecia, Langley não via sentido em ficar ali parado e se chatear, então voltou para cima e para sua máquina de escrever, e o batuque das teclas e o martelado dos espaços recomeçou, e Vincent disse, Massimo, suba lá e diga ao velho que se não parar com essa máquina eu vou enfiar as mãos dele no torcedor de roupas. Massimo, mostrando iniciativa num esforço para agradar ao pai, desceu com a máquina de escrever nos braços, e Vincent agarrou-a e a arremessou pela sala, e eu a ouvi se esfacelar com um estrondo prateado, como uma peça de porcelana.

* * *

FOI SÓ QUANDO Vincent se preparava para ir embora que ficamos amedrontados. Eu queria que ele se fosse, mas o que ele seria capaz de mandar os homens fazerem conosco à guisa de despedida? Durante horas, parecia, a família do crime ficou conferenciando, enquanto Langley e eu esperávamos, como nos haviam instruído, no andar de cima.

Quando a última luz das janelas desapareceu, fomos convocados e amarrados a duas cadeiras da cozinha, um de costas para o outro, com uma corda de varal da qual tínhamos, enrolada e armazenada no armário de ferragens do porão, o suficiente para dar a volta duas vezes num quarteirão da cidade, embora nosso método de pendurar coisas para secar envolvesse mais aquelas armações — tínhamos algumas destas — que podiam ser abertas e fechadas de novo quando as tivéssemos usado; isso porque Langley imaginava que eu pudesse esquecer que havia uma corda de varal pendurada em algum lugar da casa e me garroteasse acidentalmente.

Vocês nunca vão dizer uma palavra, disse Vincent. Vão ficar de boca fechada, senão nós voltamos e fechamos suas bocas nós mesmos.

E então ouvimos a porta da frente bater e eles se foram.

Tudo ficou em silêncio. Ficamos sentados ali, fortemente amarrados, costas contra costas, em nossas cadeiras de cozinha. Ouvi o tique-taque do relógio da cozinha.

* * *

ESTAR AMARRADO E incapaz de se mexer leva a gente a refletir. O fato era que os bandidos tinham invadido nossa casa e tomado conta dela e nós nem uma só vez oferecemos qualquer resistência.

Tínhamos ficado amigos da família, sentado com eles e tomado café com eles, eu sentindo pena de Massimo — mas o que era aquilo senão conciliação? Quanto mais pensava naquilo, pior me sentia. Em nenhum momento eles nos consideraram dignos de levar um tiro.

A corda em volta de meus braços e do meu peito parecia apertar a cada inspiração. Estava envergonhado, furioso comigo mesmo. Podíamos ter tentado algum truque, sugerir que Vincent estava morrendo. Esses retardados não teriam percebido a diferença. Eu poderia tê-los persuadido a me deixar sair em busca de um médico.

Ouvi o tique-taque do relógio da cozinha. Uma sensação da futilidade da vida ergueu-se em minha garganta num desespero esmagador. Ali estávamos nós, os irmãos Collyer, totalmente humilhados, totalmente desamparados.

E então Langley pigarreou e falou assim. Lembro o que ele disse como se fosse ontem:

Homer, você era muito menino na época para ter noção, mas num dia de verão nossos pais nos levaram a uma espécie de retiro religioso num lago qualquer ao norte do estado. Morávamos numa mansão paroquial vitoriana rodeada por varandas. E por toda a comunidade todas as casas eram iguais — vitorianas com varandas cobertas, cúpulas e cadeiras de balanço nas varandas. E cada casa era pintada de uma cor. Isso lhe diz alguma coisa? Não?

As pessoas andavam de bicicleta. Toda manhã começava com um café da manhã e uma oração no refeitório da comunidade. Toda tarde havia sessões de canto lideradas por uma banda de banjos com homens com chapéus de palha de barqueiros e jaquetas listradas em vermelho e branco. "Down by the Old Mill Stream". "Heart of My Heart". "You Are My Sunshine". As crianças eram mantidas ocupadas — corridas de saco, aulas de tecelagem de palha e de escultura em sabão —, e no lago o carro de bombeiros ficava com o canhão de água apontado para o céu a fim de que pudéssemos correr sob o jato, gritando e gargalhando. Toda tarde, quando o sol começava a se pôr sobre as montanhas, um barco a vapor com rodas de pás singrava o lago com buzinas e apitos. À noite havia concertos ou palestras sobre temas dignos. Todo mundo era feliz. Todo mundo era amigo. Você não podia dar dois passos sem ser saudado com grandes sorrisos. E vou lhe contar, nunca em minha jovem vida fui tão aterrorizado. Porque qual podia ser o propósito de tal lugar a não ser persuadir as pessoas de que era assim que o céu deveria ser? Que outro propósito a não ser dar uma amostra das alegrias da vida eterna? Eu era jovem a ponto de achar que existia algo como o céu... de me imaginar passando a eternidade com a banda de banjos com seus chapéus de palha e suas jaquetas listradas, de pensar que poderia algum dia ficar preso ali no meio de todas aquelas pessoas imbecis felizes rezando e cantando, e sendo educado sobre temas dignos. E ver meus próprios pais abraçando essa existência horrendamente sem problemas, essa vida de felicidade contínua e inexorável, de modo a me doutrinar numa vida de virtude? Homer, foi naquele verão lúgubre que me dei conta de que nossos pais inevitavelmente fracassariam em todas as expectativas que eu tinha deles. E fiz uma promessa: eu faria o que quer que fosse preciso para não ir para o céu. Somente quando, poucos anos depois, ficou claro para mim que não existia nenhum céu, um peso imenso foi tirado de meus ombros. Por que lhe conto isso? Conto porque ser um homem neste mundo é enfrentar a dura vida real de circunstância terrível, saber que só existe vida e morte e tanta variedade de tormento humano que até um ser como Deus se frustra. E isso está afirmado aqui, não está? Os irmãos Collyer amarrados, impotentes e humilhados por um brutamontes vulgar? Esse é um daqueles sermões sem palavras que a vida nos faz ouvir, não é? E se Deus existe afinal, deveríamos agradecer-Lhe por nos lembrar da Sua horrenda criação e eliminar qualquer esperança residual que pudéssemos ter de uma vida eterna de insensata felicidade na Sua presença.

Langley era sempre capaz de me tirar de estados de espírito sombrios.

ESTÁ CERTO, FALEI, então isso é mais outra coisa com que temos de lidar. Vamos em frente.

Estávamos amarrados nos encostos das cadeiras com assentos de palhinhas que foram a escolha de minha mãe para combinar com a grande mesa rústica que Vincent tinha usado como cama, outra afronta, agora que eu pensava nisso. Não adiantava lutar contra as cordas de varal entrelaçadas e cheias de nós que prendiam nossos braços e entravam e saíam pelas fendas do espaldar. Mas eu tinha notado que os pés da minha cadeira mancavam um pouco enquanto me mexia de um lado para outro. Estas cadeiras são mais velhas que nós, falei.

Certo, Langley disse. Quando eu contar três, se jogue para a esquerda. Vamos cair. Cuidado com a cabeça.

E foi o que fizemos — caímos, e quando batemos contra o chão as costas da minha cadeira se despedaçaram e subitamente as cordas ficaram frouxas o bastante para que eu me contorcesse e escapasse dos laços e desamarrasse Langley.

Houve uma grande satisfação com o sucesso da manobra. Cambaleando, ficamos de pé, nos espanamos e apertamos a mão.

Isso ACONTECEU NO início daquele outono. Ainda fazia bastante calor, e, a título de desfrutar nossa libertação, saímos e sentamos no banco do outro lado da rua, bem em frente, embaixo da velha árvore cujos galhos se estendiam por cima do muro do parque. Era bom estar ao ar livre. Até a fumaça de um ônibus que passava pela Fifth Avenue cheirava bem. Ouvi um canto de pássaros e depois alguém passeando com um cão — um cachorro grande, pelo barulho de suas patas na calçada. Recostei-me no banco e voltei o rosto para o céu. Nunca a vida comum ao ar livre tinha sido tão deliciosa.

Langley avaliou a condição da casa. As vergas sobre as janelas do segundo andar, disse. Lascadas aqui e ali. E a cornija, pedaços faltando. Não sei quando isso aconteceu. E tem uma espécie de ninho de um pássaro sujo enfiada numa das fendas. Por que não pássaros, disse ele. O lar do mundo. Empregados ladrões, agentes do governo, famílias do crime, esposas...

Somente uma esposa, falei.

Uma já é o bastante.

Discutimos se deveríamos procurar a polícia, mas, claro, jamais faríamos isso. Autoconfiança, disse Langley, citando o grande filósofo Ralph Waldo Emerson. Não precisamos da ajuda de ninguém. Guardaremos nossa própria opinião. E nos defenderemos. Temos que encarar o mundo — não somos livres se o somos à custa do sofrimento de outro.

E assim ficamos sentados ali, por algum tempo, em reflexão filosófica, e deixamos o choque da experiência desvanecer na cálida tarde de outono com o Central Park às nossas costas e a imagem de seu mundo composto de verde natural enchendo minha mente.

QUANDO FOMOS ATADOS naquelas cadeiras, Vincent amassou duas notas de 100 dólares e as jogou aos pés de Langley, como a um mendigo. Acho que usamos bem o dinheiro, encomendando, de uma loja de madeiras, venezianas pesadas, cortadas sob medida para as janelas da frente. Langley mandou-as pintar de preto. Também colocamos molduras de aço na porta da frente e um espeque em forma de cruz dois por quatro. Isso nos encorajaria a perguntar quem estava ali antes de abrirmos a porta.

Mas as venezianas pareciam significar algo para as pessoas do ramo imobiliário. Corretores eram atraídos à nossa casa como passarinhos por alpiste. As batidas à porta e as saudações presunçosas e joviais tornaram-se ocorrências de frequência diária. A maioria das vezes eram mulheres. E quando paramos de atendê-los, deixavam seus cartões e brochuras na caixa de correio. E então alguém, provavelmente um daqueles mesmos corretores imobiliários, tinha tentado telefonar para nós e, ao notar que a linha estava permanentemente ocupada, relatou a irregularidade à companhia telefônica. Técnicos apareceram e houve mais batidas à porta e respostas gritadas, de nossa parte, de que não queríamos nenhum telefone. Desde o dia em que Langley arrancou o telefone da parede, nenhum de nós dois tinha sentido a necessidade de sermos religados. E mesmo a companhia responsável devendo saber por seu departamento de consertos que nossa linha já estava fora de serviço, mandaram cartas ameaçando cortá-la se não pagássemos as contas antigas, cujos valores aumentavam sempre. Langley agradeceu-lhes, dizendo que já estávamos desconectados, mas acabou que tivemos de lidar com uma agência de cobranças, a primeira de várias em nome de credores com os quais as batalhas de Langley alcançariam uma espécie de notoriedade.

Meu irmão e eu conversamos. Ele entendeu minha inquietação diante da perpétua escuridão na casa. Você acharia que isso não me incomodaria, mas eu me vi gravitando para os quartos dos fundos, cujas janelas ainda davam para fora. Eu podia distinguir a escuridão da luz do dia pelas variações de temperatura ou até pelo olfato, a escuridão tendo um cheiro e a luz tendo outro. Assim, eu não ficara inteiramente feliz com nossa autodependência. Meu Aeolian não gostava da escuridão também, sua qualidade tonal parecia ter mudado, era mais abafada, menos declarada, como se amortecida nas trevas.

E assim, por essa e outras coisas, abrimos todas as venezianas e por um tempo ficaríamos de novo com as janelas abertas para o mundo.

LANGLEY REPAROU EM mim e decidiu que eu parecia balofo. Você está ficando mole, Homer, e isso não é bom para a saúde. Desencavou a bicicleta de dois assentos dos Hoshiyama com o pneu furado e escorou-a em armações que erguiam as rodas acima do chão, de modo que eu podia pedalar sem ir a lugar algum. E toda manhã fazíamos uma caminhada revigorante descendo a Fifth Avenue e voltando pela Madison e uma volta no quarteirão para arrematar. Claro que isso foi o início da campanha. Ele trouxera para casa uma revista naturista que era fervorosa em sua defesa de regimes pró-saúde radicais. Não que fôssemos sair por aí nus, mas vimos que, por exemplo, doses maciças de vitaminas, de A a E, reforçadas com ervas e certas nozes moídas só encontradas na Mongólia, poderiam não só garantir uma longa vida como também até reverter condições patológicas como o câncer e a cegueira. Por isso agora eu encontrava à mesa do café da manhã, ao lado da costumeira tigela do viscoso mingau de aveia, punhados de cápsulas, nozes e pó de folhas desse ou daquele tipo, que eu obedientemente engolia sem nenhum efeito apreciável até onde eu podia determinar.

Devo dizer que não havia nada errado comigo — eu me sentia ótimo, nunca estivera melhor, e não me incomodava com o exercício —, mas não queria magoar meu irmão, então o acompanhei naquela bobagem de dieta. Além do mais, fiquei comovido com seu interesse por meu bem-estar. Agradava-me de certa forma me tornar um de seus projetos.

Entre as coisas que ele recolhia da rua, topei na sala com o baixo-relevo de uma cabeça de mulher que ele pendurou num prego na parede. Era como um grande camafeu. Apalpei suas feições, o nariz, a testa, o queixo, as ondas dos cabelos, e senti um prazer tátil ao correr os dedos sobre aquela meia-face elevada, ainda que soubesse que a peça não tinha grande valor, talvez uma reprodução de alguma peça de museu. Mas Langley me viu e foi nessa ocasião que se inspirou para fazer algo a respeito de minha triste privação, como uma pessoa a quem as belas artes eram inacessíveis.

Primeiro trouxe de suas andanças umas miniaturas em marfim japonesas de casais fazendo amor. Tinham as mesmas proporções das miniaturas de marfim que os Hoshiyama haviam deixado para trás, mas que não podíamos encontrar, mesmo que procurássemos. Fui convidado a apalpar essas pequenas descrições da felicidade sexual e decifrar em que intricadas posições os negligentes pares de minúsculos amantes tinham se metido. Havia também máscaras de suaves criaturas em gesso liso e divindades africanas entalhadas na madeira, que ele tinha encontrado em algum mercado de bugigangas ou leilão. Dessa maneira, o que chamei de Museu de Belas Artes de Langley começou a se distinguir de tudo o mais no mundo inanimado com o qual, ao longo de anos, nós vínhamos vivendo. E agora eu estava engajado num curso de apreciação tátil. Mas isso não era a arte pela arte: Langley havia lido sobre anatomia e patologia do olho na biblioteca médica de nosso pai. Bastões e cones são o que fazem o olho ver, ele me contou. São a base de tudo. E se um maldito lagarto pode fazer crescer um rabo novo, por que um ser humano não pode fazer crescer bastões e cones novos?

Então, assim como meu café da manhã de nozes mongóis, meu curso de apreciação da arte era um meio de restaurar minha visão. É uma investida dupla, disse Langley. Restauradores herbáceos por dentro e treinamento físico por fora. Você tem o material para crescer os bastões e cones e treina seu corpo para fazê-los crescer a partir dos dedos.

Eu sabia que não adiantava protestar. Todo dia eu semicerrava os olhos diante da luz matinal para ver se as coisas estavam diferentes. E toda manhã Langley queria meu relatório. Era sempre o mesmo.

Depois de um tempo fiquei irritadiço. Langley aconselhou paciência. Vai levar um tempo, disse.

Houve uma semana com tintas para pintura a dedo infantil, aqueles tubinhos de gosma tingida, que ele me fazia espalhar sobre folhas de papel para descobrir se eu podia aprender a identificar a cor pelo toque. Claro que não podia. Sentia-me degradado pelo exercício. Outro esquema me fazia percorrer a casa passando as mãos sobre pinturas das quais eu me lembrava de quando ainda podia enxergar: cavalos na trilha das charretes no Central Park; um grande veleiro no mar em meio a uma tempestade; o retrato de meu pai; o retrato da tia-avó de minha mãe, que tinha cruzado o Sudão no dorso de um camelo por algum motivo que ninguém sabia dizer. E assim por diante. A pior parte dessa obrigação era chegar às paredes. Por duas vezes tropecei e caí. Langley tinha de afastar as coisas, tirá-las do caminho. Eu conhecia cada pintura por sua localização, mas visualizá-la pelo toque era outra questão, só sentia pinceladas e poeira.

Nada disso fazia muito sentido para mim. Começava a me sentir oprimido. Então, um dia, Langley abriu a porta para uma entrega de material de arte — telas esticadas em molduras de vários tamanhos, um grande cavalete de madeira e caixas de tintas a óleo e pincéis. E agora eu devia tocar piano enquanto ele pintava o que ouvia. A teoria era de que sua pintura seria um ato de tradução. Eu não deveria tocar peças, eu deveria improvisar, e a tela resultante seria a tradução visual daquilo que eu tinha feito em sons. Presumivelmente, quando a tinta secasse, em algum lampejo sináptico de conscientização, eu veria o som, ou ouviria a pintura, e os bastões e cones começariam a brotar e brilhar com vida.

Estudei a possibilidade de que meu irmão estivesse louco. Desejei de todo o coração que ele voltasse para seus jornais. Toquei com toda a minha alma. Nunca desde que perdera a visão eu me sentira tão privado, tão incompleto como me sentia agora. Quanto mais ele tentava melhorar as coisas para mim, mais eu me dava conta de minha incapacidade. E assim, toquei.

Eu deveria saber que, tendo assumido a arte em função de mim, Langley se tornaria um artista amador obsessivo, com toda aquela ideia de buscar minha recuperação colocada de lado. O que eu conhecia se não conhecia meu irmão? Só precisava esperar. Ele não se limitava a tintas a óleo para suas composições, mas incorporava à tela todo tipo de coisas que seu capricho mandava. Objetos achados, ele os chamava, e para encontrá-los só precisava olhar ao redor, nossa casa sendo a fonte de plumas de pássaros, barbantes, peças de tecido, pequenos brinquedos, fragmentos de vidro, pedaços de madeira, manchetes de jornais e tudo mais que o inspirasse. Presumivelmente, fazia a obra o mais tátil possível em função de mim, mas não; na realidade, era porque a dimensionalidade o agradava. Gostava de quebrar regras. Por que, afinal, uma pintura tinha de ser achatada? Ele plantava uma tela na minha frente e me fazia tocá-la. Qual é o tema, eu perguntava, e ele respondia, Não existe tema, esta peça não representa nada. Ela é o que é, e isso basta.

Como foram felizes aqueles dias em que Langley tinha meio que esquecido por que começara a pintar. Eu o ouvia diante de seu cavalete, fumando e tossindo, e sentia o cheiro de seus cigarros e de suas tintas a óleo e me sentia eu mesmo de novo. De certo modo, aqueles episódios em que ele me fez improvisar no piano tinham despertado em mim uma consciência de minhas possibilidades como compositor e, por isso, passei a improvisar segundo formas — elaborando estudos, baladas, sonatinas e, sendo incapaz de escrevê-las, fixando-as na memória. Langley, na outra sala, entendia o que estava acontecendo comigo, porque saiu e comprou um gravador de arame magnetizado e, depois, uma ou duas máquinas aperfeiçoadas que gravavam em fita, e assim eu podia me ouvir e fazer mudanças e pensar em novos temas e gravá-los antes que me escapassem, e eu sentia que nenhum dos irmãos Collyer já fora algum dia mais feliz do que nessa época.

As telas de meu irmão daqueles dias estão empilhadas contra as paredes, algumas no gabinete de nosso pai, algumas no hall de entrada, algumas na sala de jantar, junto com o Ford Bigode. Algumas ele pendurou na parede da escadaria que leva ao segundo e ao terceiro andares. Posso sentir ainda o cheiro dos óleos mesmo depois de todo esse tempo. As gravações que fiz estão em algum lugar na casa, soterradas sabe Deus por que coisas. Minha incursão como compositor foi uma experiência finita, como foi a vida dele como pintor, mas ainda seria interessante, se eu pudesse procurar aquelas fitas, aqueles rolos de arame, simplesmente ouvir o que eu tinha feito. Tenho a visão de fitas desenroladas jazendo emaranhadas entre tudo mais, e, além disso, eu não saberia onde procurar as máquinas para tocá-las. E, finalmente, meu ouvido... meu ouvido não é mais o que era, como se esse sentido também tivesse começado a regredir ao domínio dos meus olhos. Sou grato por ter esta máquina de escrever e as resmas de papel ao lado de minha cadeira, no momento em que o mundo fechou lentamente sua objetiva, tencionando deixar para mim apenas minha consciência.

MAS AGORA VOU mencionar a última pintura de Langley — a última que fez antes de voltar aos seus jornais. Foi inspirada não pela primeira ida dos astronautas à Lua, mas por suas viagens subsequentes. Ele me fez tocá-la. Uma superfície arenosa embutida com pedras e coberta com montículos que parecia uma espécie de cola de epóxi misturada a areia. Eu me perguntei se ele havia revertido à pintura figurativa, pois achei que aquilo era, ao toque, muito semelhante a como a Lua seria se eu me abaixasse para tocá-la. Mas era uma tela imensa, a maior que ele já havia feito, e ao passar a mão sobre ela encontrei colada à superfície uma espécie de haste, ao longo da qual passei a mão, e ela se tornava mais fina e subitamente virou num ângulo reto numa peça de metal. O que é isto, perguntei. Parece um taco de golfe. É isso mesmo, disse Langley. E então, em outros pontos da tela, pequenos livros tinham sido afixados pela lombada, e páginas individuais, endurecidas pela cola, sobressaíam como se sopradas pelo vento — três ou quatro destas em vários tamanhos. Existe vento na Lua? perguntei. Agora existe, meu irmão disse.

Achei que a pintura da Lua não era muito boa — não tive dificuldade em visualizá-la, esse foi o problema. Talvez Langley tenha percebido que era um fracasso, porque foi a última que pintou. Ou talvez fossem aqueles passeios dos astronautas na Lua que fizessem Langley desistir da pintura como insuficiente para sua raiva. Pode imaginar a estupidez daquilo, darem tacadas em bolas de golfe na Lua? comentou. E aquele outro lance, ler a Bíblia para o universo enquanto orbitavam por lá? A classe inteira de blasfêmias que há nestes dois atos, disse. Um estúpido e irreverente, o outro estúpido e presunçoso.

De minha parte, fiquei assombrado, e disse a ele, Langley, isto é quase inimaginável, ir à Lua; é como um sonho, é impressionante. Eu perdoaria àqueles astronautas qualquer coisa que fizessem.

Ele não aceitava isso. Vou lhe contar as boas notícias dessa aventura no espaço, Homer. A boa notícia é que a Terra acabou, senão por que estaríamos fazendo isso? A espécie tem uma grande percepção subliminar de que vamos explodir o planeta com nossas guerras nucleares e portanto precisamos nos preparar para sair daqui. A má notícia é que se conseguirmos de fato sair da Terra, vamos contaminar o resto do universo com nossa insuficiência moral.

Se este for o caso, falei, o que acontecerá com seu jornal eterno e sempre atualizado?

Você tem razão, disse ele, preciso abrir espaço para uma nova categoria — conquista tecnológica.

Mas conquistas tecnológicas seguiram-se umas às outras... qual delas representaria todas?

Ah, meu irmão, você não vê? A última conquista tecnológica será escapar da confusão que criamos. Não haverá nenhuma depois dela, porque reproduziremos tudo o que fizemos na Terra, percorreremos toda a sequência de novo num outro lugar e as pessoas lerão meu jornal como profecia e saberão que, tendo deixado para trás um planeta, poderão destruir outro com toda a confiança.

ESTOU ME LEMBRANDO agora da história de Quasímodo, o corcunda de Notre-Dame — aquele pobre ser deficiente que amava uma bela jovem e tocava os sinos da grande catedral em sua paixão angustiada. No meu anseio por um amor, eu tinha em mente que essa pessoa era Mary Elizabeth Riordan, minha aluna de piano de velhos tempos. Na verdade era pela própria Mary Elizabeth Riordan que eu ansiava. Eu tinha guardado meus sentimentos por ela como se guarda um objeto precioso escondido numa caixa. Alimentei a fantasia de que um dia ela voltaria para nós como uma jovem amadurecida e sensibilizada pela história de meu namoro reservado e quase imperceptível. Foi uma coincidência cruel ou um alinhamento maligno de forças espirituais que justo quando eu pensava nela, ela escrevia para nós pela primeira vez em muitos anos.

Langley trouxe sua carta do hall de entrada. Viera enfiada no meio do usual bolo de contas, cartas de advertência de advogados e avisos do Departamento de Edificações que o carteiro sempre envolvia prestimosamente com um elástico. Veja só isto, disse Langley. Um selo do Congo Belga. Quem é esse Sr. M.E. Riordan?

Meu Deus, falei, não é aquela minha aluna de piano?

Seu longo silêncio estava explicado: ela fizera os votos, era uma irmã numa ordem respeitada. Uma freira! Caros amigos, sei que deveria ter escrito antes, eu a ouvi dizer na voz de Langley, mas espero que me perdoem.

Caros amigos? O que havia acontecido a tio Homer e tio Langley? As pessoas não assumiam simplesmente votos, elas assumiam termos e expressões. Pedi a Langley que lesse a carta de novo: Caros amigos, sei que deveria ter escrito antes, mas espero que me perdoem e rezem por essas pobres pessoas às quais tenho o privilégio de servir.

Ela explicou que, em sua ordem, as irmãs eram missionárias, corriam pelo mundo, indo aos lugares onde as pessoas fossem mais pobres e mais miseráveis e vivendo entre elas e cuidando delas.

Estou neste país empobrecido e assolado pela seca numa aldeia entre os pobres e os oprimidos, escreveu ela. Na semana passada, tropas do Exército vieram e mataram vários homens da aldeia sem qualquer razão. Essas pessoas são lavradores pobres que arrancam seu sustento de colheitas numa encosta árida e rochosa. Duas de minhas irmãs estão aqui comigo. Proporcionamos a subsistência, os remédios e o consolo que podemos. Sinto-me abençoada por Deus em meu trabalho. A única coisa de que sinto falta é um piano, e rezo ao Senhor para que me perdoe essa fraqueza. Mas às vezes ao anoitecer, quando as pessoas da aldeia realizam uma de suas cerimônias, elas trazem seus tambores de mão e cantam, e eu canto com elas.

Mandei Langley ler a carta para mim muitos dias seguidos. Estava tentando me aclimatar. As crianças são subnutridas, ela escrevia, e ficam doentes com muita frequência. Estamos tentando começar uma escolinha para elas. Ninguém aqui sabe ler. Pergunto a meu Deus por que em alguns lugares as pessoas podem ser tão pobres, sofridas e deseducadas e, no entanto, amar a Jesus com uma pureza que transcende tudo o que seria possível em Nova York, uma cidade tão distante agora, tão insensata, a cidade imensa onde cresci.

É uma coisa vergonhosa confessar que, com a notícia do que Mary Elizabeth Riordan tinha feito de sua vida, eu me senti traído. Sua paixão era pelos outros, incontáveis outros, era uma paixão dispensada, um amor por qualquer um e todo mundo, enquanto eu queria que fosse por mim. Em todos aqueles anos, teria ela pensado alguma vez em mim? Eu podia me equiparar em carência a qualquer indigente miserável do Congo. E se as coisas eram tão abandonadas por Deus em Nova York, que melhor lugar para uma missionária?

A irmã tinha incluído uma foto sua com algumas criancinhas diante do que parecia a igreja da aldeia. Não passa de uma choupana de pedra com uma cruz acima da porta, disse Langley. E ela tem um ar diferente.

Como assim?

É uma mulher madura. Talvez por causa do chapéu de sol. Vemos apenas a linha dos seus cabelos e seu rosto. Parece mais cheia do que eu me lembro.

Que bom, falei.

Nem esta carta é de uma moça. Quem fala é uma mulher madura. Quantos anos acha que ela tem?

Não quero saber, disse.

Passou dos 50, imagino. Mas não é interessante que uma mulher agarrada por essa monstruosa fantasia religiosa — que acredita estar fazendo o trabalho do Senhor — esteja fazendo o trabalho que o Senhor estaria fazendo se existisse um Senhor?

Eu não podia ser tão filosófico quanto Langley em relação à vida escolhida por minha doce menina. Não detalharei aqui as propostas lascivas de minha imaginação, as arquisseduções que compus à noite a partir de minha memória de sua silhueta esguia, das modestas indicações de suas formas nos vestidos simples que usava, ou do toque de sua mão em meu braço enquanto caminhávamos ao cinema onde ela me dizia o que se passava na tela. Os lábios e os olhos que eu tinha traçado com as pontas dos dedos eu agora beijava, e do ombro que roçava no meu quando estávamos sentados juntos ao piano, eu agora deixava cair a alça de sua blusa. Isso continuou por algumas noites, ela em sua tímida aquiescência e eu, gentil mas firme, ensinando-lhe o prazer e cuidando da concepção de nosso filho. Que tristeza me ver reduzido a esses expedientes até que minha angústia se dissolvesse em futilidade e a imagem tátil do que havia sido Mary Elizabeth Riordan tivesse se apagado de minha mente.

Não sei como Langley verdadeiramente se sentiu em relação à carta dela. Ele preferia se esconder por trás de um algum *bon mot* filosófico a revelar qualquer amor que tivesse guardado por Mary. Não seria do caráter de meu irmão identificar-se com Quasímodo. Mas aconteceu que o período seguinte de nossas vidas assistiu a uma sociabilidade pouco característica, beirando o atrevimento, da parte de nós dois, ao abrirmos nossa casa para a estranha raça de cidadãs que agora brotava por todo o país. Se havia uma leve margem de amargor no que fazíamos, se nos afastávamos o máximo possível da santidade de Mary Elizabeth Riordan, deserdando-a em nossas mentes e consignando-nos à realidade infernal em busca de uma substituta para ela, não tínhamos consciência disso.

Claro que outra guerra maldita havia surgido e era suficiente para erradicar quaisquer inibições residuais que eu pudesse ter. Não teria este país nada de excepcional, no fim das contas? Àquela altura da minha vida, eu estava, em espírito, mais próximo do que nunca do desespero filosófico de Langley.

O QUE OCORREU foi que estava acontecendo uma manifestação contra a guerra no Grande Gramado do Central Park e resolvemos dar uma olhada. Podíamos ouvir os barulhos do evento muito antes de chegar lá, o som da voz rouca pelos alto-falantes latejando em meus ouvidos embora as palavras fossem indistintas, e depois vivas, um som mais achatado e abrangente, não amplificado, como se o orador e o público estivessem em domínios diferentes — o alto de uma montanha e um vale. E a oração indistinta de novo por uma frase ou duas e os vivas de novo. Isso foi no início de outubro daquele ano. Era uma tarde quente, com uma luz outonal que eu sentia no rosto. Você diria que era o calor do sol que eu sentia, mas não: era a luz. Pousava sobre minhas pálpebras, era a luz dourada do último trimestre que vem com o apagar do ano.

Ficamos logo atrás da multidão e ouvimos um grupo de folk que tocava uma música em sincera exaltação da paz, com aquela ingenuidade bruta que acompanha esse tipo de música. O público juntou-se ao refrão e aquilo foi o final do ato, seguido por um coro de vivas à guisa de conclusão, e então as pessoas começaram a passar por nós, saindo do parque.

Nem todo mundo estava disposto a abandonar o evento, inclusive Langley. Vagamos por entre grupos sentados na grama, ou em espreguiçadeiras de jardim, ou cobertores, e fiquei espantado ao ouvir meu irmão trocando gracejos com estranhos. Um estranho sentimento de convívio tomou conta de mim. Os Collyer — separatistas por princípio, reclusos —, e lá estávamos nós, mais dois na turba. E não lembro bem como aconteceu, mas alguns jovens nos acolheram em sua companhia e de repente estávamos sentados com eles no Grande Gramado, tomando goles de suas garrafas de vinho e cheirando o insinuante aroma acre de seus cigarros de maconha.

Percebi que o que agradava àquelas crianças eram nossas roupas, nosso comportamento. Nossos cabelos eram compridos, Langley usava o seu preso num rabo de cavalo caindo pelas costas e eu simplesmente deixava os meus esparramarem pelos lados da cabeça até os ombros. E nossas roupas eram casuais, quase como andrajos. Calçávamos nossas botas velhas e vestíamos Levi's, camisas de trabalho, suéteres furados e surrados e paletós rasgados nos cotovelos que Langley tinha arrumado no mercado de pulgas, e, a partir dessas roupas, nossos novos amigos se convenceram de que compartilhávamos de seu estilo de vida.

Quando escureceu, a polícia veio de carro com suas patrulhas sobre a grama, suas sirenes num ronco surdo, botando as pessoas de pé, mandando-nos seguir andando. Nossos novos amigos simplesmente acharam que deveriam vir conosco para nossa casa e nós nem sequer fizemos menção de não aquiescer, pois seria de mau gosto. Era como se — sem conhecer qualquer um deles ou saber qual era o nome de quem — fôssemos induzidos a uma camaradagem relaxada e sofisticada, uma sociedade avançada, em que propriedades comuns eram *quadradas*. Essa era uma de suas palavras. Também *chegar*, que significava, como vim a saber, ficar em nossa casa. Tínhamos sido reconhecidos — conforme senti, e percebi que Langley também — como se com um título honorífico. E quando aquelas crianças — cinco delas se destacaram do grupo maior e subiram os degraus para dentro de nossa casa, dois homens e três mulheres — viram que armazém de aquisições preciosas havia ali, ficaram emocionadas além de qualquer medida. Escutei seu silêncio, que parecia de igreja. Postaram-se admirados à luz mortiça de nossa sala de jantar olhando para o Ford Bigode sobre seus pneus vazios e com as teias de aranha de anos que o cobriam como uma malha intrincada de camas de gato, e uma das moças, Lissy — aquela com quem eu criaria um vínculo maior —, Lissy disse, Uau!, e eu imaginei a possibilidade, depois de beber muito do vinho vagabundo deles, de meu irmão e eu sermos, sem querer e *ipso facto*, profetas de uma nova era.

LEVEI UM DIA ou dois para distingui-los todos. Eu os chamo de crianças, embora, é claro, não fossem realmente. Dezoito ou 19 anos, na média, e um deles, JoJo, o mais pesado e barbudo, tinha 23, embora sua idade não lhe concedesse nenhum status privilegiado. Era, na verdade, o mais infantil de todos, um sujeito dado a palhaçadas e histórias mentirosas risíveis nas quais não se era obrigado a acreditar. JoJo só ficava sério quando se sentava para fumar, a maconha o deixava num estado de mente filosófico. Irmandade era seu tema. Chamava todo mundo, qualquer que fosse seu gênero, de "cara". Quando você recusava sua oferta de um *tapinha*, era como se lhe tivesse desferido um ferimento fatal. Pô, cara, ele dizia, com uma tristeza indizível, pô, cara. Ao contrário de Connor, o outro homem, ele não parecia romanticamente ligado a nenhuma das moças, talvez por causa de seu peso. Eu tinha conhecido sujeitos como ele no colégio que, dada sua cintura, escolhiam ser nada mais que um melhor amigo das meninas. Mas foi JoJo quem, com o tempo, trabalharia como um estivador e embalaria os jornais de Langley, criando as trilhas labirínticas daqueles fardos compactados em blocos segundo as instruções de meu irmão.

Connor, ou Con, era monossilábico e, do que pude inferir, uma figura cadavérica com um pescoço comprido e óculos de lentes grossas. Não vestia camisa, mas uma jaqueta de brim sobre o torso sem pelos. Passava o tempo desenhando tiras de quadrinhos em que os pés dos homens e os peitos das mulheres eram bastante exagerados. Langley me disse que os quadrinhos eram muito bons à sua maneira grotesca. Um toque surreal, disse. Pareciam celebrar a vida como um sonho lascivo. Perguntei a Connor o que ele pretendia com seus desenhos. Sei lá, ele respondeu. Ficava muito ocupado, tendo criado um espaço para si num canto da sala de música e instalado-se numa antiga carteira escolar que minha mãe tinha arranjado para mim quando eu era pequeno demais para ir à escola de verdade.

Duas das moças — Dawn e Sundown eram os nomes que haviam escolhido para si — pairavam em torno de Connor totalmente transfixadas pelas aventuras obscenas de seus personagens. Claro que ele as usara como modelos para suas personagens de busto grande. Um dia Langley me contou que Connor nos havia incorporado também em suas tiras. Ah, a crueldade da arte que consome o mundo e todos que estão nele, falou. E como parecemos, perguntei. O que ele nos põe a fazer? Somos velhos tarados grisalhos e nossos pés calçam sapatos enormes, disse Langley. Gostamos de dançar com os dedos indicadores para cima. Beliscamos o traseiro das senhoras e as seguramos de cabeça para baixo a fim de que seus vestidos caiam por sobre suas cabeças. Que perspicácia, falei. Vou comprar essas tiras quando ele as tiver terminado, disse Langley. Os museus vão dar lances por elas um dia.

Langley me disse que Dawn e Sundown eram legais mas não tinham muito conteúdo em matéria de pensamento. Usavam saias compridas, botas, jaquetas franjadas, bandanas e braceletes de contas. Eram mais altas que Connor e pareciam irmãs, com a exceção de que a tintura de seus cabelos era diferente, loura num caso, ruiva no outro. Pensei no início que entrariam numa espécie de competição por ele e que não se desgraçariam a admitir. Mas não era nada disso. No espírito da época, elas o compartilhavam e ele era devidamente compartilhado e dormia com cada uma delas em revezamento, como se imaginaria ser o caso de qualquer lar polígamo e diurnamente observante. Tudo isso era audivelmente aparente depois que eu me recolhia e deitava em minha cama no andar de cima e os ouvia em atividade no quarto do porão, onde tinham escolhido acampar.

De onde viera cada um deles, quais eram suas famílias, nunca descobri, exceto por Lissy, que disse ter crescido em San Francisco. Eu os visualizava a partir de suas vozes e de seus passos — e até pelo volume de ar que deslocavam. A mais vibrante de todos era Lissy. Era ela geralmente quem imaginava as coisas que fariam a partir do que encontrava remexendo pela casa. Desencavou um manequim de costureira que estava soterrado por outras coisas e, durante meio dia, as três jovens se tornaram estilistas, cortando e reformando alguns dos vestidos de noite de nossa mãe tirados do armário de seu quarto. Não me incomodei. Lissy era uma coisinha com cabelos crespos curtos cuja bata ia até as canelas. Ela mesma a fizera, me disse em sua voz docemente rouca, e era tingida em estampas amarelas, vermelhas e cor-de-rosa. Sabe qual é a cor quando eu a menciono? perguntou-me. Assegurei-lhe que sim.

Ao todo, iriam morar conosco um bom mês, esses hippies. Entravam e saíam da casa sem seguir algum padrão discernível. Partiam para algum show de uma banda de rock e ficavam fora por uns dois dias. Pegavam trabalhos servis, ganhavam alguns dólares, e largavam o trabalho até que seus dólares acabassem, quando então encontravam outra atividade. Mas houve uma fase em que, por alguma influência astrológica, todos iam trabalhar pela manhã — Lissy como atendente numa livraria, Dawn e Sundown como garçonetes numa lanchonete, e os rapazes como corretores por telefone de uma agência de seguros — e voltavam para casa no fim da tarde, como se fôssemos uma residência tipicamente burguesa e quadrada. Aquela conjunção peculiar dos astros durou quase uma semana.

Depreendi, pela hospedagem ocasional de outros como eles, que a notícia se espalhara e que havíamos nos tornado parte de uma rede de locais ou apartamentos do tipo albergue, onde as pessoas podiam dormir por uma noite. Mas eu estava seguro de que o nosso era o único albergue na Upper Fifth Avenue, o que nos dava alguma distinção.

Vivendo como viviam, esses garotos eram críticos mais radicais da sociedade do que o pessoal dos movimentos contra a guerra ou pelos direitos civis, que ganhavam tanta atenção nos jornais. Não tinham nenhuma intenção de melhorar as coisas. Eles simplesmente rejeitavam toda a cultura. Se compareceram àquele comício contra a guerra no parque, foi porque havia música lá e era agradável sentar-se na grama, tomar vinho e fumar uns baseados. Eram itinerantes que haviam escolhido a pobreza e eram jovens e insensatos demais para pensar no que a sociedade acabaria fazendo contra eles a título de vingança. Langley e eu podíamos contar a eles. Tinham visto nossa casa como um Templo da Dissidência e a adotaram como deles, de modo que se lhes disséssemos, Olhem para nós, olhem para o que vocês podem se tornar, aquilo não teria significado nada.

Na verdade, estávamos muito encantados e lisonjeados por essas pessoas para lhes dizer algo que as desencorajasse. Você imaginaria que Langley ficaria maluco com o jeito como eles ficavam à vontade em nossa casa. Apossavam-se da cozinha na hora das refeições — Dawn e Sundown preparavam cozido de legumes até se fartarem, pois, naturalmente, nenhum deles comia carne — e dormiam onde quer que houvesse espaço. Podiam ocupar todos os banheiros da casa ao mesmo tempo, mas eles nos interessavam, cuidávamos de sua dicção como pais de crianças que mal começavam a falar. E fazíamos questão de relatar um ao outro qualquer expressão ou frase que surgisse e que não tivéssemos ouvido antes. Um *bicho* era um vocativo genericamente aplicável. Não confundir com um simples animal. Estar *ligado* era prestar atenção — uma locução estranhamente elétrica, pensei, para esse pessoal vegetariano e amante da natureza.

Um dia o gordo JoJo chegou de suas andanças com uma guitarra e uma caixa de som. Imediatamente a casa reverberou com terríveis barulhos ensurdecedores. Felizmente eu estava no andar de cima na ocasião. JoJo tocava alguns acordes tonitruantes, e nas brechas de silêncio cantava um verso de uma canção, e gargalhava e tocava outro acorde vibrante, e cantava outro verso e ria. Depois de algum tempo eu me acostumei à guitarra de JoJo — ele sabia que não era músico, que só fazia um jogo, uma brincadeira que ele ridicularizava, mesmo quando se entregava a ela. Colocou em minhas mãos, um dia, essa guitarra. As cordas eram mais como cabos e estavam esticadas sobre um pedaço sólido de madeira esculpido como um carro com barbatanas. Eu não pensaria em chamá-la de instrumento musical. Seu som me lembrava aqueles velhos músicos de *vaudeville* que tocavam um serrote dobrando-o para cá e para lá e passando o arco de um violino sobre ele.

Uma das pessimamente cantadas músicas de JoJo me intrigava. Começava com "Bom-dia, colher de chá". Langley e eu discutimos sobre isso. Ele achava que a canção falava da solidão do cantor ironicamente se dirigindo às louças e talheres de seu café da manhã. Eu discordava. Disse que era simplesmente o cantor dirigindo-se a uma amante presumivelmente caminhando com ele pela manhã, sendo *colher de chá* um termo carinhoso.

A ESSA ALTURA eu tinha cultivado uma afeição pela pequena Lissy. Toda vez que ela desaparecia por um dia ou dois eu me via ansioso por sua volta. De todos eles, era a mais falante, com certeza a mais cativante, e o fato de eu ser cego a intrigava, enquanto os outros eram apenas condescendentes. Uma manhã ela me encontrou na cozinha ao trombar comigo, porque havia decidido manter os olhos fechados desde o momento em que acordara. Não é tão ruim, né, disse. Quer dizer, eu sei que posso abrir os olhos quando quiser e que você não pode, mas nesse momento você pode ver melhor do que eu, não é? Eu disse que podia porque minhas outras faculdades eram uma espécie de recompensa. E enquanto mantínhamos essa conversa, coloquei um copo de suco de laranja em sua mão e ela suspirou.

As experiências de cegueira de Lissy nos aproximaram. Ela apalpava minhas feições, tocando minha testa, meu nariz, minha boca, com suas pequeninas mãos, ao mesmo tempo que eu percorria seu rosto com os dedos.

Era tão encantadora, de olhos fechados, e a cabeça afastada à maneira de alguém que pensa na imagem que suas mãos estão criando. Supondo que seja isso que as pessoas fazem em vez de beijar, falei para ela. Como se fôssemos um povo isolado à parte do resto do mundo. E senti seus lábios sobre os meus. Ela ficou na ponta dos pés para me alcançar e eu segurei sua cintura e corri as mãos por suas costas e senti sua pele sob a fina roupa que vestia.

Não vou fingir que fiquei instantaneamente apaixonado pela jovem Lissy. Sim, era como se minha idade desaparecesse, mas havia sempre em mente um sentimento de transgressão — como se eu estivesse tirando vantagem não da generosidade daquela jovem, mas da cultura da qual ela viera, porque ela não era nada virginal, era evidentemente experiente e sentia-se bem à vontade escalando todo o meu corpo. Como uma gata à procura de um lugar para se aninhar.

Não faz sentido a essa altura dourar as coisas. Cito um de nossos poetas: "Por que não dizer o que aconteceu?" Se alguém um dia ler isto e pensar mal de mim — Jacqueline, se você ler isto vai entender, eu sei —, mas se qualquer outra pessoa se decepcionar, o que significa isso para mim? Estou rumando, de qualquer maneira, para um anonimato absoluto.

O ÚNICO SUSPENSE para mim estava em quanto da conversa infantil de Lissy eu teria de ouvir a caminho do inevitável. Ela acreditava que as árvores fossem sensitivas. Achava que as pessoas podiam encontrar as respostas para seus problemas ou até mesmo conhecer seu destino consultando um livro chinês de sabedoria que levava na mochila. Você jogava algumas varetas sobre uma mesa e a forma como caíam indicava a página do livro à qual deveria recorrer. Mas dá no mesmo para você, Homer, se abrir o livro em qualquer página e localizar um trecho com o dedo, disse ela. Então eu fiz aquilo e ela leu a passagem que eu tinha indicado: Caramba, sinto muito, Homer, mas existem "problemas no seu caminho". Nenhuma novidade, falei. E então ela leu para mim trechos de um romance em que um alemão inflamado por Buda vagava pelo mundo em busca da iluminação. Não lhe disse o quanto achei aquilo engraçado. Lissy só era budista na medida em que tinha uma admiração romântica por quem quer que o fosse. Era uma suscetibilidade mais generalizada que tinha a ver com qualquer coisa vinda do Oriente. Eu ficava fascinado com sua voz docemente rachada. Quase dava para visualizar os pequenos pacotes de som que marchavam ao longo de suas cordas vocais um após o outro, alguns do tipo guinchado, outros caindo na extensão do alto.

Ela se incumbia de lavar meus pés antes que eu me recolhesse, dizendo que era um antigo costume dos povos do deserto do Oriente Próximo — judeus, cristãos ou sei lá quem. Queria fazer isso, e então eu a deixei, embora fosse embaraçoso para mim. Sabia que meus pés estavam longe de ser meu melhor atributo, e, tendo sempre dificuldades de aparar as unhas, um processo árduo e às vezes doloroso, eu o fazia com menos frequência do que deveria. Mas Lissy não parecia se incomodar com isso, tinha encontrado uma das grandes tigelas de aço de vovó Robileaux e a enchia de água quente e colocava uma toalha de rosto na água e então sobre meus pés e depois embaixo deles, erguendo cada pé pelo calcanhar e lavando as solas, e devo admitir que não era desagradável. Era claramente uma lavagem cerimonial mais do que de qualquer uso prático. Esses jovens tinham várias cerimônias de seu gosto eclético, a cerimônia de fumar, de beber, de ouvir música, de fazer sexo. Suas vidas eram uma cerimônia após a outra e, para uma pessoa que passara pelo tempo sem qualquer capacidade de sair de seu fluxo, eu estava preparado para aprender essa arte que parecia ter nascido com eles.

Uma noite depois de lavar meus pés ela ficou no quarto comigo. Sua sugestão de que meditássemos juntos foi o que nos levou a fazer amor. Não havia realmente nenhum espaço adequado para sentar-se na posição de lótus nesta casa. Não havia alcova que não estivesse empilhada com coisas. Meu quarto — na verdade nem mesmo meu quarto, no qual as inevitáveis pilhas de livros e bricabraque deixavam uma mera passagem estreita, mas minha cama, uma cama de casal que eu conseguira manter sacrossanta, era a única plataforma para se pensar sobre nada. Pois aquilo era o que deveríamos fazer, segundo Lissy. Não consigo pensar sobre nada, falei. O melhor que posso fazer é pensar sobre mim mesmo pensando. Shhh, Homer, disse ela. Shhh. E quando ela sussurrou meu nome, valha-me Deus, o amor esparramou-se de dentro de mim como as lágrimas quentes de uma alma que encontrou a salvação.

Erguendo os braços para que eu pudesse tirar seu vestido, ela emergia de sua crisálida, aquela menina trêmula e pequenina. Seus ombros estreitos, os mamilos como sementes no tórax estreito. E a cintura comprida e um traseiro em forma de pera em minhas mãos. Oferecendo seu pequeno presente ao mundo, Lissy, com sua fé infantil em ideias que lhe eram misteriosas. Conduzindo-me nesse processo.

Depois, eu a segurei nos braços e então houve um momento de confusão mental, um estranho descompasso do próprio tempo, porque fiquei brevemente sob a ilusão de que era a irmã Mary Elizabeth Riordan que eu tinha nos braços.

NÃO SEI POR que eu não podia simplesmente desfrutar a alegria dessa criatura encantadora e expansiva, sua experiência, tão inesperada, e deixar por isso mesmo. Em vez disso, decidi me torturar pensando naquela ilusão momentânea, enquanto em seus braços, de ter possuído minha aluna de piano. Precisava falar com Langley sobre aquilo. Achei que me havia expurgado de quaisquer sentimentos que ainda restassem por Mary Elizabeth Riordan — afinal ela havia se transformado, era uma autêntica freira de 50 anos. Então eu tinha maculado duas almas queridas simultaneamente, violando uma em espírito e usando a outra para esse propósito. Não era nenhum consolo para mim o fato de que Lissy não parecia sentir que algo importante tinha acontecido entre nós. Estava, em sua idade, no modo exploratório característico de sua cultura. Mas eu estava no fundo do poço agora, porque tinha me depreciado muito. Eu sabia que Langley também tinha, naquele tempo remoto, se apaixonado por nossa estudante de piano. Queria saber o que pensava. Nunca havíamos falado desse tipo de coisa. Eu estava numa disposição confessional. Será que alguém sabia o que era o amor? Poderia o amor não consumado existir sem fantasia carnal, poderia sobreviver como amor sem gratificação, sem recompensa? Não contesto que tenha desfrutado a doação do corpo de Lissy. Então o que alguém amava além do gênero, em que uma criatura adorável poderia substituir a outra?

Mas não parecia haver um momento certo para essa conversa com meu irmão. Muita coisa estava acontecendo. Como eu disse, além do grupo original que conhecêramos no parque, amigos deles, companheiros de invasão de moradia, tinham entrado e saído, e havia ocasiões em que eu tropeçava em alguém de cuja presença eu não tinha conhecimento. Ou então eu ouvia risos e conversas em outra sala e me sentia um hóspede na casa de alguma outra pessoa. Langley me surpreendera por dar boa acolhida a essas pessoas e agir com uma generosidade singular em relação a elas. E elas correspondiam, assumindo seu estilo de vida cotidiano, acólitos em seu Ministério. Até o cartunista de lentes grossas, Connor, gostava de trazer da rua alguma coisa que ele achava que agradaria a Langley. Todos pareciam entender sua sanha aquisitiva como um *ethos*. Eu praticamente tinha a certeza de que ele não se envolvera com nenhuma das moças — administrar essas pessoas parecia sua maneira de relacionar-se com elas, podiam ser batedores de carteiras em Londres, e ele, Fagin. A única audiência que tivera em todos aqueles anos fui eu. Agora ele era um guru adotado. Como eles o aplaudiram quando ele chutou o marcador da água para fora do porão!

Às vezes as coisas ficavam barulhentas quando algo retinia ao ser trazido para dentro de casa. O próprio Langley tinha descoberto o bairro do Bowery, onde equipamentos usados de restaurantes jaziam sobre a calçada, e, para encerrar nossa dívida com a companhia de gás, ele comprou um fogão de querosene portátil de duas bocas, aposentando o enorme fogão a gás de oito bocas, no qual vovó Robileaux cozinhava. Langley correria o risco de morte por asfixia para derrotar a companhia de gás. Também jogos de louça e pratos, tigelas e utensílios como espátulas — com a intenção de dar a nossos hóspedes tudo de que precisassem para preparar nossas refeições comunitárias. E aquela guitarra de JoJo havia inspirado novas aquisições — caixas de som, microfones e consoles de gravação, Langley me dizia, por saber que eu não era o maior fã do som eletrônico, que essas eram coisas que podíamos alugar, pois o número de músicos aspirantes que queria tocar guitarra aumentava exponencialmente a cada dia, conforme se podia ver nas seções de entretenimento dos jornais. Não é mais Swing and Sway with

Sammy Kaye. Nada mais de Horace Heidt and His Musical Knights. Agora são músicos eletrônicos que assumem nomes existenciais e comandam imensas plateias de gente ligeiramente mais jovem que deseja sair e empinar a pélvis e gritar e dedilhar sua música ensurdecedora para estádios cheios de imbecis.

Assim, como eu ia dizendo, nunca tive a oportunidade de me sentar com Langley e fazê-lo levar em conta minha desiludida contribuição a sua Teoria das Substituições. Ele assumia a passagem das gerações, você sabe, mas minha ideia era lateral. Se o que importava era a forma universal da Mulher Amada, e se cada mulher amada era apenas uma expressão particular da universal, então qualquer uma delas serviria igualmente bem e poderia substituir outra à medida que nossa natureza moralmente insuficiente o exigisse. E se esse fosse o caso, como poderia eu ser educado a amar alguém por uma vida inteira?

Lissy, eu reitero, de modo algum sofreu com minha duplicidade. Não fazia perguntas, era pouco curiosa a respeito de minha vida anterior a não ser pela novidade de minha cegueira. Fizemos amor uma ou duas vezes mais e então ficou aparente para mim que minha cama, uma das acomodações mais desejáveis de nossa casa, lhe interessava mais como um local para dormir. Por algum tempo continuamos a meditar ou, conforme entendi, a ficar sentados juntos quietos, e ela um dia trouxe de suas andanças alguns remédios homeopáticos em antecipação à vindoura temporada de gripe, disse, os quais colocou na minha mão, e beijou-me no rosto. Éramos amigos, e, se ela tinha dormido comigo, ora, é para isso que servem os amigos.

E ESTAVA FICANDO mais frio agora, era novembro a essa altura? Não lembro. Mas nenhuma daquelas pessoas podia aceitar o inverno. Em primeiro lugar, não tinham resistência para ele, sua existência marginal exigia um clima benéfico, um calor estável e imutável em que pudessem sobreviver sem o menor esforço. Apropriaram-se de algumas das roupas militares que ainda restavam — a jaqueta de campanha que Lissy achou ia até seus joelhos —, e eu sabia que em breve, como qualquer outro bando de aves migratórias, eles bateriam as asas e iriam embora.

Presumo que foi em antecipação da partida que prepararam um grande jantar para todos nós. Por algum motivo o hall de entrada estava menos cheio de coisas do que qualquer outro dos aposentos, e assim nossos hippies desencavaram candelabros e castiçais e recorreram a nosso suprimento de velas, que possuíamos em quantidade e variedade, incluindo cera de vela em tubos de vidro — que Langley tinha encontrado numa loja do Lower East Side —, que foram colocados no chão de modo a sugerir uma mesa de jantar, e almofadas trazidas de toda a casa foram arrumadas em volta, e Langley e eu fomos convidados a nos sentar, o que fizemos laboriosamente de pernas cruzadas, como paxás, enquanto nossos hóspedes vieram em tropel com comida e vinho. Aparentemente, todos tinham trabalhado nisso, cada um contribuindo com uma especialidade, cogumelos sautê, tigelas de salada e sopa de legumes, fondue com pedaços de pão torrado e alcachofras no vapor e ostras, e mexilhões cozidos na cerveja — supus que essa fosse a contribuição de JoJo —, e queijo duro e vinho tinto de mesa, além de doces e cigarros de maconha como sobremesa. Tinham pago por tudo e era à guisa de agradecimento e foi muito comovente. Langley e eu pela primeira e última vez em nossas vidas fumamos baseados e minha lembrança do resto da noitada é um pouco nebulosa, exceto que tanto Dawn como Sundown pareciam ter me descoberto nesse derradeiro encontro, aproximaram-se e sentaram-se do meu lado e me abraçaram e todos rimos juntos, achando engraçado por algum motivo quando apertei seus amplos seios contra o meu peito e aninhei-me em seu pescoço. Ergueram-se brindes e, se não estou enganado, fez-se um momento solene de lembrança em homenagem aos três grandes homens que foram assassinados no curso de uma década. Gosto de pensar, também, que Lissy talvez tenha tomado a iniciativa de me reconquistar no curso da noite, pois foi ela quem me conduziu ao meu quarto depois, orientando-me pelas escadas — eu estava totalmente chapado, tinham ido da maconha para o haxixe, uma droga bem mais potente —, e ela se deitou ao meu lado na cama, onde tive uma visão: eram navios a vela, e estavam de certo modo gravados numa salva de estanho. Falei, Lissy, está vendo os navios? Ela tocou minha têmpora na sua e naquele momento os navios foram como se martelados numa lâmina de ouro, e ela disse, Uau, são tão bonitos, uau.

Lembro-me desses momentos muito claramente, por mais que minha mente estivesse fora de controle. Nunca mais, desde então, ingeri nenhuma droga, pois não queria mexer com o pouco de consciência que tenho. Mas é inegável que aqueles momentos tiveram sua clareza misteriosa. Devo ter cochilado, mas ao despertar encontrei Lissy abraçada a mim e minha camisa molhada de suas lágrimas. Perguntei-lhe por que estava chorando, mas ela não respondeu, apenas sacudia a cabeça. Seria porque eu era um velho e ela estava tomada de compaixão? Teria percebido, finalmente, o estado ruinoso desta casa? Eu não sabia do que se tratava — e concluí que nada mais era do que a sobrecarga emocional de uma mente drogada. Abracei-a e adormecemos juntos.

MAS ALGUNS DIAS mais se passariam antes do êxodo. Eu estava ao piano — era ao anoitecer, creio que eu tocava o movimento lento e elegíaco do Vigésimo concerto de Mozart — quando outros sons começaram a interferir e eles gradualmente se definiram como gritos, que vinham de todos os cantos da casa. Aparentemente as luzes haviam se apagado. Primeiro pensei que Langley teria estourado algo — uma de suas sacrossantas missões a longo prazo era derrotar a Consolidated Edison Company —, mas na verdade era uma pane em todo o sistema de energia da cidade, e foi como se a pré-civilização voltasse para mostrar o significado de uma noite. Estranhamente, assim que as pessoas olharam pela janela e perceberam a extensão do blecaute, todo mundo queria vê-lo — todos os nossos invasores gritando para sair e se deixarem maravilhar pela cidade iluminada pelo luar. Pensei na possibilidade de que esse fusível queimado municipal fosse, afinal, consequência das mexidas de Langley na rede elétrica, e isso me fez rir. Langley! gritei para ele. O que foi que você fez!

Ele estava no andar de cima, em seu quarto, enfrentando tanta dificuldade como os demais para chegar à porta de casa. Foi o irmão cego quem ordenou tudo, mandando que não se mexessem, que ficassem onde estavam até que eu fosse buscá-los. Ninguém encontraria uma vela — onde havia velas ou castiçais a essa altura, ninguém podia saber, as chances de encontrar uma na escuridão da casa eram nulas, as velas haviam se consignado ao nosso reino de entulhos assim como tudo mais.

Nesse ponto de nossas vidas, a casa era um labirinto de perigosas trilhas, cheias de obstruções e muitos becos sem saída. Com luz suficiente, uma pessoa podia caminhar por corredores ziguezagueantes de fardos de jornais, ou encontrar passagem deslizando de lado por entre um monte de equipamento de um tipo ou de outro — entranhas de pianos, motores embrulhados em sua fiação elétrica, caixas de ferramentas, pinturas, peças de carros, pneus, cadeiras empilhadas, mesas sobre mesas, cabeceiras de camas, barris, pilhas de livros desmanteladas, lâmpadas antigas, pedaços desmontados do mobiliário de nossos pais, tapetes enrolados, pilhas de roupas, bicicletas —, mas eram necessários os dons naturais de um cego que sentia onde as coisas estavam pelo ar que elas deslocavam para transitar de um quarto ao outro sem acabar se matando enquanto o fazia. No blecaute, tropecei várias vezes e caí uma, machucando o cotovelo, enquanto ia encontrando pessoas do alto da casa até embaixo, pedindo que gritassem, um a um, e que se agarrassem a mim, como vagões numa locomotiva. E acabei me divertindo como inventor deste trem humano que serpenteava pela residência dos Collyer, todo mundo rindo ou gritando de dor ao bater os joelhos ou tropeçar. E o trem ficava mais pesado de se puxar à medida que cada nova pessoa se enganchava na composição — evidentemente havia mais de nossos amigos hippies residentes do que eu imaginara. Claro que Lissy foi a primeira que dei um jeito de encontrar, e senti suas mãos na minha cintura enquanto dava risadinhas. Isso é o máximo! disse ela. Então decidiu que nós todos formávamos um "trenzinho" de conga — como conhecia essa dança que já estava fora de moda antes de nascer, eu não sei. Mas lá estava Lissy, tentando me instruir, e todo mundo atrás dela naquele movimento de sacudir os quadris um-dois-três e depois esticar a perna num chute e BAM!, o que naturalmente criava ainda maior caos à medida que os outros tentavam fazê-lo. Ouvi Langley no fim da fila se divertindo também, e era incrível ouvir a voz chiada de meu irmão, realmente incrível. E foi a escuridão que tornou tudo isso possível — a escuridão deles, não a minha —, e quando cheguei ao hall de entrada e ergui a tranca e abri a porta, todos passaram por mim, voando como pássaros, saindo da gaiola, e acho que foi o beijo de Lissy que senti na bochecha, embora possa ter sido de Dawn ou de Sundown, e senti o revigorante ar da noite e parei no alto da escadaria e inalei a fragrância de terra do parque, aguçada pelo gosto metálico do luar, e ouvi seus risos enquanto se afastavam ao longo da rua em direção do parque, todos eles, incluindo meu irmão, embora ele tenha voltado depois, mas os outros, nunca mais, seus risos diminuindo por entre as árvores, pois aquilo foi o último som que ouvi deles, tinham ido embora.

CLARO QUE SENTI falta deles, senti falta de sua apreciação por nós, se é que era essa a palavra. Eu invejava suas vidas inseguras. Se aquela vida errante era a insensatez da juventude ou se tinha uma base em alguma divergência de princípio, ainda que inarticulada, era difícil saber. Foi uma onda cultural que mexeu com eles, a guerra no Vietnã não podia ser completamente responsabilizada por aquilo, e nenhum deles tinha iniciativa para resistir à onda que os levavas. Quieto, nesta casa agora terrivelmente silenciosa, senti minha idade verdadeira me reclamar. Ter todas aquelas pessoas ao meu redor me levara a entender que nossa reclusão habitual era necessária. Quando eles se foram e ficamos de novo só meu irmão e eu, meu ânimo afundou. Estávamos de volta à nossa personalidade entediada de novo com o mundo exterior nos confrontando como se houvesse retirado seus embaixadores.

* * *

Nossos problemas começaram com aquele fogão de querosene que Langley havia comprado e que pegou fogo uma manhã enquanto ele fazia nossas omeletes. Eu estava sentado à mesa da cozinha e ouvi uma pequena explosão igual a uma lufada de vento. Claro que tínhamos acumulado vários extintores de incêndio de diferentes tipos e marcas ao longo dos anos, mas nenhum dos que havia na cozinha foi de muito uso — suponho que sua potência evapore com o tempo. Langley me deu um relato simultâneo do que estava acontecendo numa voz de urgência controlada — que a espuma do extintor fora justo o suficiente para deixar o fogão temporariamente apagado, mas fumegante. Eu podia senti-lo. Ele o embrulhou em panos de prato e jogou a tralha toda, pela porta da cozinha, no quintal.

Aquilo parecia ter resolvido o problema. Eu sabia que meu irmão estava envergonhado pela maneira quieta como fechara a porta da cozinha e por nada ter dito enquanto tomávamos um café da manhã frio.

Só uma hora depois ouvi as sirenes. Eu estava ao Aeolian sem pensar em nada — ouviam-se caminhões de bombeiros e ambulâncias dia e noite nesta cidade. Encontrei as notas da sirene no piano — o lá deslizando para o si bemol e de volta ao lá —, mas então o som se aproximou e morreu num longo grunhido aparentemente bem diante da casa. Batidas na porta, gritos de Onde é, onde é? enquanto aquele bando de bombeiros se enfiava em nossa casa, empurrando-me para o lado, praguejando em busca da cozinha e puxando a mangueira atrás de si, na qual eu tropecei, Langley gritando, O que estão fazendo nesta casa, saiam daqui, saiam daqui! Os bombeiros tinham sido chamados pelas pessoas da mansão ao lado, cujo jardim dava para nosso quintal. Em todos esses anos nunca tínhamos encontrado esses vizinhos ou falado com eles, não sabíamos quem eram a não ser pelo fato de o considerarmos os prováveis responsáveis por uma carta anônima em nossa caixa de correio protestando contra nossos chás dançantes de tantos anos antes. E agora tinham informado aos bombeiros que nosso quintal estava em chamas, coisa que havia realmente acontecido. Por que essas pessoas não podem cuidar de sua própria vida, Langley resmungou enquanto a mangueira, ligada agora ao hidrante no meio-fio diante de casa, pulsava através do labirinto de jornais empacotados e chicoteava para lá e para cá contra cadeiras dobradas e mesas de bridge, derrubando lâmpadas de pé, pilhas de telas, enquanto os bombeiros apontavam o esguicho pela porta dos fundos até os fumegantes montes de lenha, pneus usados e peças avulsas de mobiliário, uma escrivaninha sem perna, um estrado de molas, duas cadeiras Adirondack e outros itens armazenados ali na expectativa de que um dia acharíamos um uso para eles.

Langley insistiria depois que os bombeiros tinham exagerado em sua reação, embora o cheiro de fumaça tenha persistido durante semanas. Quando um inspetor do Corpo de Bombeiros chegou, ele deu uma olhada na pilha fumegante e disse que receberíamos uma intimação e provavelmente seríamos multados por armazenamento ilegal de material inflamável numa zona residencial. Langley disse que se isso acontecesse nós processaríamos o Corpo de Bombeiros por destruição de propriedade. As botas de seus homens deixaram uma trilha de lama em nossos assoalhos, disse ele, a porta dos fundos da cozinha foi tirada das dobradiças, invadiram a casa como vândalos, conforme o senhor pode ver por estes vasos quebrados, estas lâmpadas aqui, e olhe só os livros valiosos encharcados e inchados da miserável água que vazou de sua mangueira.

É mesmo, Sr. Collyer? Eu consideraria um preço pequeno a se pagar para ter ainda um domicílio onde morar.

O inspetor dos bombeiros, que tomei por um homem inteligente de alguma idade — havia usado a palavra *domicílio*, termo que não se ouvia com frequência na conversação comum —, certamente tinha dado uma boa olhada, observando tudo, e, embora não dissesse nada, deve ter passado adiante o que viu em nossos aposentos, pois mais ou menos uma semana depois recebemos uma carta oficial do Departamento de Saúde solicitando uma data para o propósito de avaliar a condição interior de — e aqui indicavam nossa casa por seu endereço.

Ignoramos a carta, é claro, mas nosso sentimento de liberdade diminuída era palpável. Bastava pessoas com credenciais oficiais terem intenções a nosso respeito. Acho que foi nessa ocasião que Langley encomendou um curso completo de direito em livros de uma universidade do Centro-Oeste que oferecia um diploma de advogado por correspondência. Quando os livros chegaram — num engradado —, estávamos sob a mira não só do Departamento de Saúde, mas também de uma agência de cobranças atuando em nome da Companhia Telefônica de Nova York, de advogados da Consolidated Edison por termos danificado sua propriedade — suponho que se referissem ao medidor de luz no porão, uma geringonça irritante que vivia buzinando e que nós silenciamos com um martelo —, do banco Dime Savings, que havia herdado nossa hipoteca e alegava que, por falta de pagamentos, estávamos diante de uma execução, e o Cemitério de Woodlawn, porque havíamos de algum modo esquecido de pagar pela manutenção dos túmulos de nossos pais. E não era só isso — havia outras cartas enfiadas pela fenda de nossa caixa de correio na porta da frente cujos conteúdos não consigo lembrar agora. Mas por alguma razão foi a conta do cemitério que mais mobilizou a atenção de meu irmão. Homer, disse ele, você pode imaginar alguém mais depravado que essas pessoas que vivem da morte a ponto de cobrarem um bom dinheiro só para podar um pouco de grama ao redor de uma lápide? Afinal, quem liga para a aparência das sepulturas? Certamente não seus ocupantes. Quanta fraude, isso é pura irreverência, o cuidado profissional dos mortos. Deixem todo o cemitério voltar a seu estado selvagem, eu proponho. Exatamente como era no tempo dos índios de Manhattan — deixem haver uma necrópole de pedras inclinadas e de anjos caídos semioculta na floresta. Isso para mim mostraria mais respeito aos mortos, isso seria um reconhecimento sagrado, em beleza, do terrível sistema de vida e morte.

* * *

TIVE A IDEIA de graduar nossos problemas como um meio de resolvê-los, e a hipoteca me pareceu a primeira na ordem dos negócios. Foi uma luta fazer Langley sentar-se para analisar nossas finanças. Ele achava que dar atenção a essas questões nos tornava subservientes. Mas me dei conta, a partir de sua leitura dos livros contábeis, que tínhamos fundos suficientes para pagar toda a hipoteca. Vamos fazer isso e tirar essas pessoas das nossas costas, falei, e nunca mais teremos de nos preocupar com isso.

Perdemos a dedução de nossos impostos federais se pagarmos essa desgraça, Langley disse.

Mas não temos direito à dedução se não estivermos com os pagamentos em dia, falei. Tudo o que ganhamos são multas que impedem a dedução. E por que falar de impostos se não os pagamos?

Ele tinha uma resposta para aquilo relacionada à guerra, embora partisse disso e eu não saiba se posso explicá-la corretamente. Algo sobre sociedades primitivas que funcionam brilhantemente sem dinheiro e logo um discurso sobre a usura corporativa, e então ele explodiu numa canção: "Sim, os bancos são feitos de mármore / Com guardas pelo prédio inteiro / E os cofres-fortes são de prata / Conseguida com o suor do mineiro." O barítono rouco e desafinado de Langley era um instrumento de inegável potência. Eu não ri nem falei dos caprichos genéticos da vida graças aos quais um dom musical podia ser destinado inteiramente a um irmão, no caso eu. Fiquei imaginando o que os mineiros tinham a ver com qualquer coisa. Homer, disse ele, vou lembrá-lo da derivação do nosso nome.

Não foram nossos ancestrais paternos escavadores das entranhas da terra? Não eram eles mineiros de carvão? "Collier" não é a palavra para "mineiro de carvão"?

Logo estávamos discutindo outros nomes de profissões — Baker, Cooper, Farmer, Miller — e ponderando sobre as voltas da história em torno de tais nomes, e esse foi o fim de nossa conferência financeira.

Langley acabaria concordando comigo e pagando a hipoteca, mas àquela altura nós éramos famosos por toda a cidade e ele foi seguido até o banco por repórteres e um fotógrafo do *Daily News*, que ganharia um prêmio Pulitzer pelo retrato que fez de Langley caminhando pela Fifth Avenue num chapéu baixo, um sobretudo andrajoso indo até as canelas, um xale que fizera de um saco de estopa e chinelos.

EM DEFESA DE meu irmão, digo que ele tinha muita coisa na cabeça. Foi um período de comportamentos humanos surpreendentes — por exemplo, a bomba jogada na igreja batista no sul do país que matou quatro meninas negras que estavam na escola dominical. A notícia o deixou transtornado — havia ocasiões, você sabe, em que seu cinismo rompia e o coração ficava visível. Mas a monstruosidade do que tinha acontecido revelou a ele ainda outra categoria de eventos seminais para seu jornal definitivo — o assassinato de inocentes, não apenas daquelas quatro meninas, mas também o fuzilamento de estudantes universitários e a matança de jovens registrando pessoas para votar, naquele mesmo período espantoso. E então, é claro, ele teve de abrir um arquivo para assassinatos políticos — tivéramos três ou quatro deles — e talvez um outro arquivo para a detenção em massa de centenas de manifestantes nas ruas numa penitenciária externa em Washington. Não conseguia decidir se aquele acontecimento deveria ser incorporado à categoria de conduta policial de cacetadas, também aplicada a manifestantes contra a guerra em outras cidades, ou se era algo diferente.

O jornal dos sonhos de Langley não podia ser mera reportagem, sua edição única para todos os tempos exigia um relato meticulosamente categórico do que nos é dado comumente como algo específico. Por isso era um grande problema de organização para ele selecionar de anos de edições diárias os episódios significativos e os tipos de atividades que são atemporais.

Ele seria testado nos anos seguintes: falou-me um dia sobre o suicídio em massa de novecentas pessoas que viviam num pequeno país sul-americano do qual eu nunca ouvira falar. Eram americanos que tinham seguido para lá a fim de viver em barracos que seu líder lhes propunha como um paraíso comunista idealizado. Tinham praticado o suicídio bebendo um líquido vermelho inofensivo em vez de veneno, mas quando chegou a hora em que seu líder declarou que não podiam mais tolerar a repressão do mundo exterior eles não hesitaram em engolir a coisa real. Todos os novecentos. Perguntei a Langley, Onde você encaixa esse acontecimento? Ele disse que pensara primeiro na rubrica de Moda, quando todo mundo de repente começa a vestir uma nova cor. Ou quando a mesma gíria está subitamente na boca de todo mundo. Mas, finalmente, disse ele, coloquei-a num arquivo pendente de acontecimentos únicos que chegam às manchetes. Lá ele ficará esperando que outro episódio de comportamento insano semelhante ao dos lemingues surja de novo. Como suspeito, de fato surgirá, acrescentou.

Conduta ilegal do presidente da República naqueles anos também foi outra rubrica para seu arquivo condicional. Até que outro presidente subvertesse a Constituição que jurara respeitar, não podia ser considerado como seminal. Mas estou esperando, disse ele.

UM DIA MEU irmão entrou com seus jornais matinais e sem dizer uma palavra foi até as janelas e começou a fechar e lacrar as venezianas. Ouvi a batida das venezianas, que se encaixavam como portas pesadas, e observei a pátina de uma escuridão mais leve afastando-se de meus olhos. O ar da casa se tornou mais frio. Um estranho som estrangulado veio da garganta de meu irmão e só lentamente percebi que era seu esforço para evitar um colapso nervoso.

Uma sensação horrenda, um aperto do coração, me fez levantar da banqueta de meu piano. O que foi? perguntei.

Ele leu para mim: Os corpos de quatro freiras americanas numa remota aldeia da América Central foram encontrados em covas rasas. Tinham sido estupradas e mortas a tiros. Seus nomes ainda não haviam sido divulgados.

Eu não queria acreditar. Insisti que sem os nomes não podíamos ter certeza de que Mary Elizabeth Riordan fosse uma daquelas freiras.

Langley subiu as escadas e encontrou a caixinha de lata onde guardávamos as cartas dela. Mary escrevia-nos de tempos em tempos à medida que sua ordem a deslocava pelo mundo: fora de um país africano para outro e depois para países do Sudeste da Ásia e, depois de alguns anos, para aldeias na América Central. As cartas eram sempre as mesmas onde quer que estivesse, como se ela fizesse uma turnê mundial de destituição e morte. Caros amigos, escreveu na última carta, estou aqui neste pequeno país abandonado, dilacerado pela guerra civil. Justo na semana passada soldados chegaram e levaram vários homens da aldeia e os mataram por estarem do lado da insurgência. Eram apenas lavradores pobres tentando alimentar suas famílias. Agora só restaram velhos, mulheres e crianças. Elas gritam durante o sono. Três de minhas irmãs estão aqui comigo. Damos todo o consolo que conseguimos.

A carta tinha sido escrita poucos meses antes, da mesma aldeia citada no jornal.

NÃO SOU UMA pessoa religiosa. Rezei para ser perdoado por ter sentido ciúmes de sua vocação, por tê-la espoliado em meus sonhos. Mas em verdade devo admitir que fiquei estarrecido demais por esse destino terrível da freira a ponto de não conseguir liga-la à minha estudante de piano

Mary Elizabeth Riordan. Ainda agora, sinto claramente seu cheiro enquanto estávamos sentados juntos na banqueta do piano. Posso evocar isso no momento que quiser. Ela fala suavemente em meu ouvido enquanto, noite após noite, os filmes vão passando: Agora uma perseguição engraçada com as pessoas caindo para fora dos carros... agora o herói montado num cavalo a galope... agora bombeiros descem por um cano... e agora (sinto sua mão sobre meu ombro) os amantes estão se abraçando, olhando nos olhos um do outro, e a legenda diz... "Eu te amo".

DEPOIS DE ALGUNS dias de silêncio em nossa casa eu disse a Langley: Isto é martírio, é nisto que consiste o martírio.

Por que, disse Langley, porque eram freiras? O martírio é uma invenção religiosa. Caso contrário, por que não dizer que as quatro meninas mortas na escola dominical em Birmingham são mártires?

Pensei nisso. Eu podia ver a possibilidade de que a freira perdoasse seu algoz e tocasse seu rosto com dois dedos enquanto ele encostava a arma em sua têmpora.

Existe uma diferença, falei. As crenças religiosas das freiras as colocam no caminho do perigo. Elas sabiam que havia uma guerra civil, que selvagens armados rondavam o lugar.

Seu idiota! gritou Langley. Quem você acha que os armou? Eles são os nossos selvagens!

Mas agora não estou tão seguro de quando tudo isso aconteceu. Ou minha mente está revirando sobre si mesma e as memórias estão escapando, ou eu finalmente entendi a profecia do jornal atemporal de Langley.

Nossas venezianas nunca mais seriam abertas. Langley combinou com a banca em que comprava seus jornais que os entregasse em nossa porta. As primeiras edições dos jornais da manhã chegavam geralmente às 23 horas. Os vespertinos eram deixados em nossa porta às 15. Quando Langley saía, era sempre de noite. Fazia as compras num pequeno armazém que tinha acabado de abrir a alguns quarteirões ao norte de nossa casa e que vendia pão do dia anterior. Meu irmão fazia questão de prestigiar essa loja, de comprar mais do que precisávamos, na verdade, porque um jornal local de circulação grátis que cobria recepções de embaixadas e desfiles de moda e publicava entrevistas com decoradores de interiores noticiara que o dono da loja era hispânico. Por Deus, gritou Langley, vamos fugir, eles chegaram!

Na verdade aquilo era um sinal de uma cidade em mudança — uma lenta, quase imperceptível, virada de uma maré do norte —, mas algo como um pequeno armazém, ou dois rostos negros vistos na rua, eram o suficiente para nossos vizinhos erguerem as mãos. E, é claro, inevitavelmente, meu irmão e eu éramos apontados como a Primeira Causa — foram os Collyer, bem-nascidos, que fomentaram o desastre. Qualquer animosidade que houvesse sido dirigida contra nós desde o incêndio em nosso quintal — não: a coisa vinha crescendo desde a época de nossos chás dançantes — chegava agora ao auge.

Com uma boa regularidade recebíamos cartas anônimas de difamação. Lembro-me de um dia em que os envelopes entraram pela fenda da caixa de correio e caíram no chão de um jeito que me pareceram peixes saltando de uma rede. Éramos ameaçados, éramos amaldiçoados, e um dia um envelope que abrimos tinha como mensagem uma barata morta. Seria um hieroglifo que nos representasse na visão do remetente? Ou significava que éramos responsáveis por infestar a vizinhança com vermes? É verdade que tínhamos baratas — nós as tínhamos desde a minha mais remota lembrança. Nunca me incomodaram, eu sentia algo rastejando por minha canela e o afastava como a uma mosca ou um mosquito. Langley respeitava as baratas por terem um tipo de inteligência ou até personalidade, com sua esperteza evasiva e sua bravura, quando sob ataque saltavam de um balcão para o nada. E podiam indicar seu desprazer por um silvo ou um guincho. Ainda assim, colocamos armadilhas para elas e naturalmente foi bobagem culpar-nos pela infestação das outras casas. As pessoas nesta vizinhança ficavam envergonhadas de admitir que seus próprios lares, tão distintos, estavam tomados por pragas e insetos. Mas havia baratas residindo na cidade desde os dias de Peter Stuyvesant.

Langley tinha posto seus jornais de lado, empilhando os diários para leitura futura, porque seus estudos legais, com o curso de advocacia por correspondência, agora tomavam-lhe a maior parte do tempo. Não era um mero exercício acadêmico. Ele tentava fazer frente não só às empresas de serviços públicos e a outros credores, como também ao Departamento de Saúde Pública e ao Corpo de Bombeiros, que vinham exigindo a entrada na casa, a fim de encontrar coisas que os alarmassem. Conseguiu encontrar um estatuto da cidade que complicava as coisas para eles quando ameaçaram obter mandados judiciais. Também saiu e garantiu um advogado da Sociedade de Ajuda Legal que, sem cobrar honorários, foi preparado por instrução de Langley para entrar com várias moções legais, como impedimentos, quando e se as coisas progredissem para o estágio seguinte, conforme presumíamos que fosse acontecer. De forma geral, assumiríamos a posição de que uma mera vistoria superficial daquele inspetor do Corpo de Bombeiros depois do incêndio no quintal — que foi a causa de toda essa confusão — não era motivo suficiente para violar a santidade constitucional do lar de um homem.

Ficou claro para mim que Langley gostava de tudo isso, e fiquei feliz em ver que ele estava engajado numa empreitada prática para uma mudança. Trouxe um componente "aqui e agora" para sua vida, uma coisa imediata, e a promessa, boa ou ruim, de um resultado, que não era o caso com seu eterno e inatingível jornal platônico. Minha única contribuição era ouvir, de vez em quando, a um exemplo de raciocínio legal que ele encontrara e que lhe parecia saído de um asilo de loucos.

Certamente não nos ajudava em nossas relações com nossos vizinhos e nos contratempos com as burocracias da cidade o fato de que toda Nova York da época experimentava uma deterioração na ordem civil: serviços municipais em colapso — lixo não recolhido, vagões de metrô grafitados —, crimes de rua em ascensão, abundância de viciados em drogas. Entendi também que nossos times esportivos profissionais estavam se saindo muito mal nos campeonatos.

Sob estas circunstâncias, nossas venezianas fechadas e a tranca em nossa porta pareciam fazer sentido. Minha vida agora estava inteiramente na casa.

Foi por volta dessa época que notei que meu precioso Aeolian estava meio-tom desafinado nas oitavas médias. As notas graves e as agudas pareciam em ordem, e foi isso o que achei estranho, que o piano tivesse desafinado daquela maneira arbitrária. Pensei, Ora, já que as venezianas foram fechadas, a casa se tornou obviamente mofada, e, com tudo juntando poeira em cada aposento, tudo o que se podia imaginar empilhado quase até o teto, assim como os fardos de jornal que serviam de paredes para nossas trilhas labirínticas, não surpreendia que um instrumento delicado fosse afetado. Num dia chuvoso, a umidade era palpável e o odor de fungos do porão parecia subir pelo assoalho.

Havia outros pianos, naturalmente, ou entranhas de pianos. Alguns estavam definitivamente desafinados da maneira usual, e por que não estariam — mas comecei a ficar alarmado quando acionei a pianola, que estivera coberta por um plástico, e ouvi a mesma desafinação nas oitavas médias. Então tateei ao meu redor até que achei o piano elétrico portátil, um computador, na verdade — com diferentes configurações, ele soaria como uma flauta, um violino ou um acordeão, e assim por diante —, que Langley havia trazido pouco antes para casa. Lembro-me de agradecer por ele poder repousar confortavelmente numa mesa. Porque o primeiro computador de Langley era do tamanho de uma geladeira, uma coisa imensa e volumosa com tubos de vácuo que ele comprara — por uma ninharia, disse — só porque era um modelo obsoleto. Não conseguiu testá-lo e ver se fazia o que os computadores faziam — algo na natureza de cálculos, disse ele, e quando perguntei que tipo de cálculos, ele disse qualquer tipo de cálculos — porque quando chegou a hora de vermos o que podíamos fazer com ele, não tínhamos mais eletricidade. Por isso eu não entendi como esse pequeno computador que parecia um teclado e que funcionava com baterias fizesse os cálculos necessários para tocar música, só que os fazia. E quando eu acionei o botão e toquei uma escala, esse instrumento, sem nada da ordem de cordas para desafinar, estava desafinado no registro médio, exatamente como o meu Aeolian.

Naquele momento entendi que não era meu piano, mas meu ouvido, que estava desafinado. Eu ouvia um dó como um dó sustenido. Foi o começo. Dei de ombros e me persuadi de que podia conviver com aquilo. Eu podia ouvir as peças de meu repertório de memória como se nada estivesse errado. Mas com o passar do tempo não seria apenas uma questão de afinação, de um som fora do tom, mas de nenhum som de todo. Eu não queria acreditar que aquilo estivesse acontecendo, ainda que entendesse o que era, lenta mas seguramente. Meses se passariam antes que, decibel por decibel, o mundo ficasse abafado e eu perdesse meu orgulhoso ouvido inteiramente e ficasse pior do que Beethoven, que pelo menos podia enxergar.

Se tivesse perdido o último sentido que me ligava ao mundo subitamente, eu teria gritado de horror e encontrado o modo mais rápido possível de dar cabo da minha vida. Mas me pegou gradualmente, permitindo-me graus progressivos de aceitação, com a esperança de que cada grau de perda seria o último, até que, no silêncio crescente de meu desespero, resolvi aceitar meu destino, tomado por um estranho impulso de descobrir como seria a vida quando meu ouvido tivesse sumido completamente e, sem visão ou som, eu só tivesse minha consciência para me divertir.

Não contei a Langley nada disso. Não sei por quê. Talvez eu achasse que ele instantaneamente acrescentasse ouvidos à sua prática médica. A coisa chegara ao ponto em que, para recuperar minha visão, todo dia ele receitava sete laranjas descascadas para o café da manhã, dois copos de 250ml de suco de laranja para o almoço e um drinque de laranja, em vez de minha taça favorita de vinho Almadén, para o jantar. Se eu lhe dissesse que minha audição estava comprometida ele certamente teria encontrado uma cura langleyana para isso. Sob as circunstâncias, mantive meu próprio parecer e me distraí com os problemas que estávamos enfrentando com o mundo exterior.

Não sei ao certo quando nossas batalhas com o Departamento de Saúde, com o Corpo de Bombeiros, com o banco, com os serviços públicos e todo mundo mais que exigia alguma satisfação atraíram a atenção da imprensa. Não vou pretender uma precisão de lembrança enquanto relato nossa vida nesta casa nos últimos anos. O tempo parece para mim uma maré, um escorrer de areia. E minha mente escorre com ele. Estou me esgotando. Sinto que não tenho o lazer para me exigir quanto à data exata, a palavra exata. O que posso fazer é colocar as coisas à medida que me ocorrem e esperar pelo melhor. O que é uma vergonha, pois mantendo-me aplicado nesta tarefa eu desenvolvi um gosto por uma descrição exata de nossas vidas, vendo e ouvindo com palavras, se não com nada mais além delas.

O primeiro repórter que tocou nossa campainha — um jovem realmente estúpido que esperava ser convidado a entrar e, quando não permitimos isso, ficou plantado fazendo perguntas ofensivas, gritando-as até depois que fechamos a porta — fez-me perceber que jornalistas eram uma classe de seres humanos odiosamente falível que se transformava em matéria impressa infalível todos os dias, compondo o registro histórico que enchia nossa casa como fardos de algodão. Se você falar com essas pessoas estará à sua mercê e se não falar com elas estará à sua mercê, Langley me disse, Somos uma reportagem, Homer. Escute isto — e leu um relato supostamente factual sobre esses excêntricos sinistros que haviam fechado as venezianas de suas janelas e colocado trancas em suas portas e acumulado contas não pagas de milhares de dólares, embora agora formassem uma dívida de milhões. Nossas idades estavam erradas, Langley foi chamado de Larry e um vizinho, anônimo, achava que prendíamos mulheres em nossa casa contra a vontade delas. Que nossa casa fosse uma mácula na vizinhança nunca esteve em questão. Até mesmo o ninho abandonado de falcão peregrino sob a orla de nosso telhado era um argumento contra nós.

Perguntei a meu irmão: Como você encaixaria isso no jornal sempre atual de Collyer?

Nós somos sui generis, Homer, ele respondeu. A não ser que surja alguém tão notavelmente profético como nós, sou obrigado a ignorar nossa existência.

A ATENÇÃO DA imprensa não era contínua, mas nos tornamos um tema à mão, uma fonte segura de admiração para o público leitor. Podíamos rir disso, pelo menos no começo, mas tornou-se menos engraçado e mais alarmante à medida que o tempo passava. Alguns repórteres publicaram detalhes das vidas de nossos pais — quando compraram a casa e quanto pagaram por ela —, tudo questão de registro público, quando não tinham nada melhor a fazer do que ir ao centro da cidade vasculhar os arquivos da cidade. E descobriram, a partir de relatórios de recenseamento e de registros de bordo de navios, quando nossos ancestrais chegaram a essas plagas — foi no início do século XIX — e onde moraram, suas gerações, artesãos que galgaram profissões, os casamentos que fizeram, as crianças que geraram, e daí por diante. Assim, tudo isso agora era do conhecimento público, mas qual era o sentido a não ser indicar o declínio de uma Casa, a Queda de uma família de reputação, a vergonha de toda aquela história que nos tinha levado, os irmãos Collyer, sem-saída, a espreitar por trás de portas fechadas e só sair à noite.

Admito ter sentido, em ocasiões secretas, geralmente pouco antes de adormecer, que se você fosse apegado a valores burgueses convencionais, consideraria os irmãos Collyer o fim da linha. Então eu ficava com raiva de mim mesmo. Afinal, estávamos levando vidas originais autodirecionadas sem nos deixarmos intimidar pela convenção — não poderíamos ser uma supremacia da linhagem, uma floração da árvore familiar?

Langley disse: Quem se importa em saber quem foram nossos distintos ancestrais? Quanta lenga-lenga. Todos esses registros do recenseamento, todos esses arquivos só atestam a autoimportância do ser humano, que se dá um nome e um tapinha nas costas e não admite como ele é irrelevante para as engrenagens do planeta.

Eu não estava preparado para ir tão longe, pois, me sentindo daquele jeito, de que valia viver no mundo, acreditar em mim mesmo como uma pessoa identificável com um intelecto, com desejos e com a capacidade de aprender e de criar consequências? Mas é claro que Langley gostava de dizer essas coisas, ele as vinha dizendo ao longo de toda a nossa vida adulta, e para alguém que não tinha apreço por sua própria singularidade, estava certamente sustentando uma luta, segurando as agências da cidade, os credores, os vizinhos, a imprensa e desfrutando a batalha. Sim, e então uma noite ele achou que tinha ouvido algo correndo pela casa. Eu pude ouvir também quando ele me chamou a atenção. Ficamos à escuta na sala de estar. Um estalido que, achei, estava acima de nossas cabeças. Ele achou que era dentro da parede. Seria uma criatura ou mais de uma? Não podíamos dizer, mas o que quer que fosse estava terrivelmente ocupado, mais do que nós. Langley concluiu que eram camundongos. Não retruquei que achava ser algo maior. A essa altura eu não teria ouvido camundongos. O som não era de algo pequeno e nem de um intruso tímido, mas de algo que morava em nossa casa impertinentemente, sem nossa permissão. Era uma criatura com intenções claras. Ouvindo seu persistente clique-clique, imaginei que estivesse arrumando as coisas à sua satisfação. Era enervante, como era presunçoso, aquele som, quase a ponto de me fazer acreditar que o intruso era eu. E se era dentro das paredes ou entre os assoalhos, como poderíamos esperar que ficasse ali sem se aventurar para dentro da casa?

Langley saiu aquela noite e voltou com dois gatos vadios e os botou para pegar o que fosse, e quando não houve resultados imediatos ele acrescentou outros três ou quatro gatos, todos de rua — gatos de rua brabos, com miados fortes —, até que tínhamos meia dúzia deles perambulando como sentinelas por nossos aposentos entulhados, gatos que tinham de ser alimentados e com os quais era preciso falar e com caixinhas de sujeira que tinham de ser esvaziadas. Meu irmão, que não tinha grande apreço pelas pretensões da raça humana, acabou revelando os sentimentos de um pai afetuoso por esses gatos ferozes. Eles pulavam sobre os montes ou pilhas de coisas e gostavam de saltar para nossos ombros. Eu às vezes tropeçava num deles, pois tinham demorados períodos de repouso e ficavam jogados nos andares superiores ou inferiores, e se eu pisava num rabo, e o bicho produzia um chiado de protesto, Langley dizia, Homer, tente ser mais cuidadoso.

Então agora nós tínhamos gatos em patrulha, esgueirando-se por toda parte, ao redor e embaixo de tudo, e eu ainda ouvia os estalidos de unhas no teto à noite deitado na minha cama, e às vezes um arranhar nas paredes. Mas não era um animal exclusivamente noturno — podia ouvi-lo correndo também durante o dia, principalmente quando eu estava na sala de jantar. Não creio que tenha mencionado o elaborado candelabro de cristal que havia na sala de jantar. Aparentemente a misteriosa criatura, ou família de criaturas — pois eu começava a acreditar que havia mais de um envolvido —, tinha sujado tanto sua residência acima da sala de jantar que o teto, encharcado, se curvou, parecendo, disse Langley, a base da Lua, e lá veio abaixo o candelabro — como uma espécie de paraquedas num cabo —, estilhaçando-se contra o Ford Bigode, os pendentes de cristal voando em toda direção e dispersando os gatos aos uivos.

Lembro-me de ter visto, ainda criança, uma das empregadas de minha mãe numa escada embaixo daquele candelabro, retirando cada cristal, limpando-o com um pano e pendurando-o de volta no gancho. Ela me deixou segurar um deles. Fiquei surpreso ao sentir como era pesado — tinha a forma de duas pirâmides esguias com bases coladas, e quando falei isso à empregada ela sorriu e disse que menino esperto eu era.

Nossas dificuldades com o banco que detinha nossa hipoteca — agora o Dime Savings, pois essas coisas são negociadas, à medida que os próprios bancos sofrem metamorfoses. O Corn Exchange, ao qual eu era tão apegado, se tornou o Chemical Corn Exchange, com talvez as sementes de uma potente colheita híbrida escondida em seus cofres, e então desapareceu, queimado possivelmente por seus componentes químicos e, vejam só, virou o Chase Chemical e então a química foi embora e se tornou o implacável Chase Manhattan, e assim por diante, no processo interminável das mutações corporativas em que nada muda ou é melhorado, segundo Langley — mas, de qualquer maneira, nossas dificuldades com o Dime Savings culminaram num contratempo nos degraus da entrada de nossa casa, com um banqueiro, acompanhado por um delegado municipal para sugerir como seria um despejo, postado ali e esfregando uma intimação na minha cara e, presumivelmente, na cara de Langley também.

Estávamos, nós quatro, de pé no degrau mais alto, os irmãos confrontando os dois hóspedes indesejados que, de costas para a rua, se achavam, militarmente falando, numa posição indefensável. Ouvi o banqueiro recitar nosso medonho destino — era um barítono com uma arrogante dicção de "Park Avenue" — e pensei, Se ele esfregar esses papéis mais uma vez no meu nariz eu lhe dou um empurrão e vou ouvir as fraturas de seu crânio ao cair de costas em nossos degraus de granito. Nada tinha a ver comigo pensar em violência — fiquei surpreso comigo mesmo e não de todo descontente —, mas Langley, de quem se esperaria algo radical, disse, Esperem apenas um momento, e entrou na casa para emergir um minuto depois com um dos seus livros de direito do curso por correspondência na mão. Ouvi o folhear das páginas. Ah, sim, disse então, aceito sua intimação — pode me passar —, e nos veremos no tribunal — deixem-me ver —, a audiência deve ser dentro de seis a oito semanas, no meu entendimento dessas questões.

Tudo o que o senhor precisa fazer para evitar a execução, disse o banqueiro, de certa forma desconcertado — pois não esperava conhecimento legal de nossa parte e porque uma audiência no tribunal significava advogados para o banco e o adiamento interminável da disputa antes que qualquer despejo pudesse ocorrer —, tudo o que precisa fazer, senhor, é saldar os meses atrasados e o banco tratará nossa relação como no passado e não haverá necessidade de uma audiência em tribunal. Temos uma longa e responsável relação com a família Collyer e não queremos que termine mal.

Langley: Não é bem assim. Mesmo que um juiz se pronuncie em seu favor, o que não é de todo certo, considerando sua taxa de juros usurária de 4,5 por cento, ele determinará um *lis pendens*, que, como o senhor sabe, é um período de redenção de outros três meses. Vamos ver: além dos dois meses até que compareçamos diante do tribunal, isso perfaz quase meio ano antes que tenhamos de fazer qualquer coisa, ou pagar qualquer coisa. E, quem sabe, poderíamos antes de o gongo final decidir que temos de pagar toda a desgraçada da hipoteca, ou talvez não. Quem pode saber? Bom-dia para o senhor, cavalheiro. Apreciamos que tenha tirado tempo de seu ocupado dia de banqueiro para nos visitar pessoalmente, mas agora, se não se importa, leve o seu delegado consigo e tire os pés imundos de nossa propriedade.

NA PRIMAVERA SEGUINTE nós pagamos a hipoteca. Como acredito que mencionei, Langley decidiu fazer aquilo pessoalmente. Depois de ter informado o banco quando pretendia aparecer, foi caminhando de nossa casa na alta Fifth Avenue até o Dime Savings da Worth Street, no Financial District, uma distância equivalente a quase a metade do comprimento de Manhattan.

Como é típico da imprensa, os jornais erraram: meu irmão não estava meramente tentando economizar o dinheiro da passagem — essa era uma consideração secundária. Na verdade, ele queria manter os funcionários do Dime Savings num estado de suspense.

Com Langley a caminho do banco naquela manhã, decidi tomar um pouco de ar. Vesti uma camisa limpa, um suéter velho mas muito confortável de caxemira, meu paletó de tweed e uma calça relativamente pouco gasta. Se havia repórteres à espreita, presumi que Langley os teria levado em seu rastro e que eu poderia atravessar até o parque sem incidentes. Também, era ainda cedo no dia, um horário em que haveria menos caçadores de curiosidades em frente à casa. Foi isso que as reportagens nos jornais fizeram para nós, está vendo, fizeram de nossa casa algo a ser vigiado, e havia ocasiões, geralmente nos fins de semana, em que uma pequena multidão se juntava para observar nossas janelas fechadas com tábuas, esperando que um dos irmãos loucos pisasse na rua e sacudisse o punho em sua direção. Ou apontariam para a brecha na cornija onde a guarnição de mármore tinha caído na calçada — já mencionei isso? —, quase atingindo alguém que passava naquele momento, só que não atingira e ele tivera de se contentar com um processo alegando que um estilhaço de mármore danificara seu olho. Mas com todas aquelas pessoas se reunindo ali — se havia duas ou três paradas onde um transeunte se perguntava o que estaria acontecendo, ele também parava —, iniciavam uma conversa, parte da qual eu podia ouvir quando ficava parado atrás da veneziana de uma janela com uma fresta aberta.

Eu ficava espantado diante de como essas pessoas se sentiam proprietárias — você acharia que era a casa deles que estava caindo aos pedaços.

Mas dessa vez tudo parecia bem quieto o bastante. Saí caminhando numa manhã quente de primavera e parei no meio-fio à espera de uma interrupção no trânsito. Como minha audição tinha, a essa altura, perdido um grau de seu brilho, achei que o momento de atravessar tinha chegado e eu já tinha pisado para fora do meio-fio quando uma mulher gritou Não! — ou *Non!*, pois era Jacqueline Roux, aquela que seria a cara amiga de meu final de vida — ao mesmo tempo em que ouvi pneus guincharem, talvez até para-lamas amassarem, mas de qualquer modo fiquei transfixado, tendo parado o tráfego. Enquanto isso, passos se aproximando e a mesma voz confiante atrás de mim dizia, Tudo bem, agora podemos ir, e seu braço no meu e sua mão agarrando a minha enquanto, apesar dos gritos e protestos, atravessávamos sem pressa a Fifth Avenue como velhos amigos num passeio. E foi assim, e não foi a única vez, que Jacqueline Roux salvou minha vida.

Estou na escuridão e num silêncio maior do que o desfiladeiro marinho do poeta, mas vejo aquela manhã no parque e ouço sua voz e me lembro de suas palavras como se estivesse novamente fora de mim e o mundo diante de mim. Ela achou para nós um banco ao sol, perguntou meu nome e me disse o seu. Achei que devia ser tremendamente confiante para ajudar um cego e depois, tendo feito a boa ação, sentar-se com ele para conversar. As pessoas que nos ajudam geralmente saem de fininho.

Isto é tão perfeito, disse ela.

Um fósforo foi aceso. Senti o cheiro acre de um de seus cigarros europeus. Ouvi-a inalar para levar a fumaça o mais para dentro de si que pudesse.

Porque você é justamente o homem que eu ia visitar, disse ela.

Eu? Sabe quem sou?

Ah, sim, Homer Collyer, você e seu irmão são famosos agora na França.

Meu bom Deus. Não me diga que você é repórter.

Bem, é verdade. Às vezes escrevo para jornais.

Ouça, sei que acabou de salvar minha vida...

Oh, *poof*...

... e eu deveria ser realmente mais agradecido, mas o fato é que meu irmão e eu não falamos com repórteres.

Ela pareceu não me ouvir. Você tem um rosto bom, disse ela, boas feições, e seus olhos, apesar de tudo, são bastante atraentes. Mas magro demais, você é magro demais, e um barbeiro seria aconselhável.

Ela inalou, ela exalou: não estou aqui para entrevistar você. Vou escrever sobre o seu país. Estive por toda parte porque não sei o que estou procurando.

Ela havia estado na Califórnia e no Noroeste, visitara o Deserto do Mojave, Chicago, Detroit e os montes Apalaches e agora estava comigo num banco de parque.

Se sou uma repórter, falou, é para reportar sobre mim mesma, meus próprios sentimentos e aquilo que eu descobrir. Estou tentando sacar este país — é assim que vocês dizem, *sacar* alguma coisa é entendê-la? Tenho a tarefa de fazer um comentário muito impressionista à la Jacqueline Roux para o *Le Monde* — sim, um jornal, mas meu comentário não tem a ver com onde estive ou com quem falei, mas o que aprendi dos seus segredos.

Que segredos?

Devo escrever sobre o que não pode ser visto. É difícil. Tomar nossas medidas.

Está certo, sim, é isso. Quando encontrei seu endereço, olhei para sua casa com suas venezianas pretas. Na Europa temos venezianas para as janelas, aqui não tanto quanto eu imaginaria. Na França, na Itália, na Alemanha, as venezianas existem por causa de nossa história. A história torna aconselhável ter venezianas pesadas sobre as janelas e fechá-las à noite. Neste país as casas não são escondidas atrás de paredes, dentro de pátios. Vocês não têm história suficiente para isso. Seus lares confrontam a rua sem medo, para todo mundo ver. Então por que você tem venezianas pretas nas janelas, Homer Collyer? O que significa para a família Collyer ter as venezianas fechadas num dia quente de primavera?

Não sei. Talvez haja história suficiente para justificar isso.

Com suas vistas para o parque, disse ela. Não olhar para fora? Por quê?

Eu saio para o parque. Como agora. Preciso me defender? Moramos aqui toda a nossa vida, meu irmão e eu. Não deixamos de lado o parque.

Bom. Na verdade, se quer saber, foi o seu Central Park que me atraiu a Nova York.

Ah, eu disse, pensei que tivesse sido eu.

Sim, é o que estou fazendo aqui além de me encontrar com homens estranhos. Ela riu. Caminhando no Central Park.

Naquele momento eu quis tocar seu rosto. Sua voz ocupava o registro agudo — uma voz de fumante. Quando pegou meu braço, pelo toque de sua manga no meu pulso — o tecido podia ser veludo cotelê — tive a impressão de uma mulher no final da casa dos 30 anos, no começo dos 40. Ao atravessarmos a Fifth Avenue, achei que seus sapatos podiam ser o que chamavam de sensíveis, só pelo som dos saltos batendo no chão, embora eu não confiasse mais tanto em minhas deduções como antigamente.

Perguntei-lhe o que esperava encontrar no parque. Parques são lugares monótonos, falei. Claro que você pode ser assassinado aqui à noite, eu disse, mas fora isso é muito chato. Apenas os costumeiros corredores, amantes e babás com carrinhos de bebê. No inverno todo mundo patina no gelo.

As babás também?

São as melhores patinadoras.

Então entramos no ritmo, com o tipo de conversa que traz à tona nossa inteligência competitiva — pelo menos trouxe a minha. Ou era apenas flerte? Mas como era revigorante. Eu tinha uma certa classe. Como se tivesse sido revirado para um lado diferente de mim mesmo.

Jacqueline Roux era capaz de rir sem perder sua linha de raciocínio. Não, disse ela, apesar do que você afirma, o seu Central Park é diferente de qualquer outro parque pelo qual já caminhei na vida. Por que sinto isso? Por que é tão organizado, tão planejado? Uma construção geométrica com bordas tão rígidas — uma catedral da natureza. Não, não sei ao certo. Sabe que existem lugares no parque que me dão uma sensação terrível? Por um momento ou dois ontem, no final da tarde, com suas sombras e os edifícios altos cercando-o de todo lado — próximo e a distância —, tive a ilusão de que o parque estava baixo demais!

Baixo demais?

Sim, bem onde eu estava e em toda parte para onde olhava! Tinha chovido e a grama estava molhada depois da chuva e por um momento reconheci o que nunca tinha visto antes, que o Central Park estava mergulhado no fundo da cidade. E com seus lagos e piscinas como se, você sabe, estivesse afundando lentamente? Esse foi meu sentimento medonho. Como se fosse um parque afundado, uma catedral da natureza afundada dentro de uma cidade elevada.

Como ela falava! No entanto, eu estava encantado com a intensidade de sua conversa — tão poética, tão filosófica, tão francesa, para o meu gosto. Mas ao mesmo tempo era muito fantasiosa para mim. Deus do céu — procurar o significado do Central Park? Estava sempre do outro lado da rua quando eu abria minha porta — algo ali, algo fixo e imutável que não exigia interpretações. Disse isso a ela. Mas ao reagir diante da ideia de Jacqueline, fiquei preso numa opinião própria que certamente estava um grau acima em minha vida não pensante.

Fico aliviado por você saber que teve uma ilusão, falei.

É muito louco, admito a você. Volto a minha primeira impressão — o design do parque, feito por artesãos com picaretas e pás, e assim meu pensamento é o primeiro pensamento de todo mundo —: é simplesmente uma obra de arte construída a partir da natureza. Essa deve ter sido apenas a intenção daqueles que projetaram o parque.

Apenas a intenção? comentei. E não é o suficiente?

Mas para mim sugere o que eles podem não ter planejado — uma profecia —, este retângulo sequestrado da natureza criado para quando chegar o tempo do fim da natureza.

Este parque foi construído no século XIX, falei. Antes que a cidade estivesse aqui a cercá-lo. A natureza estava por toda parte, quem teria pensado que ela chegaria a um fim?

Ninguém, disse ela. Mostraram-me os silos subterrâneos em Dakota do Sul onde os mísseis esperam e 24 horas por dia os militares ficam sentados em seus consoles, prontos para apertar o botão na caixa. As pessoas que fizeram este parque não pensaram nisso também.

E ASSIM TAGARELAMOS no que percebi ser um nível normal para ela. Como era extraordinário estar sentado ali, como num café de calçada de Paris, conversando com uma francesa de voz sedutora, voz de fumante. E não era de pouca importância para mim que ela me achasse digno de seus pensamentos. Eu disse: Você está em busca do segredo. Acho que ainda não o encontrou.

Talvez não, disse ela.

Fiquei feliz que não tentasse suas ideias para cima de Langley — ele não teria paciência, poderia até ser rude. Mas eu adorava ouvi-la falar, por mais bizarras que fossem suas teorias — o Central Park afundando, venezianas não serem coisas de americanos —, seu engajamento apaixonado por suas ideias era uma revelação para mim. Jacqueline Roux viajara o mundo inteiro. Era uma escritora publicada. Imaginei como seria empolgante viver aquela vida, percorrer o mundo inteiro e inventar coisas sobre ele.

E então chegou a hora de ir embora.

Vai caminhando para casa? perguntou. Eu vou com você.

Deixamos o parque e atravessamos a Fifth Avenue, seu braço no meu. Diante da casa, senti-me ousado. Gostaria de ver como é por dentro? perguntei. É uma atração ainda maior que o Empire State Building.

Ah, não, *merci*, tenho compromissos. Mas um outro dia, sim.

Eu disse, Só me deixe ter uma ideia de você. Posso?

Tinha cabelos espessos e ondulados cortados curto. Uma testa ampla, maçãs do rosto arredondadas, um nariz reto. Uma ligeira amplitude sob o queixo. Usava óculos de aro fino. Nada de maquiagem. Achei que não deveria tocar nos lábios.

Perguntei se era casada.

Não mais, disse ela. Não fazia sentido.

Filhos?

Tenho um em Paris. Na escola secundária. Então agora é você que está me entrevistando? Ela riu. Estaria de volta a Nova York em poucas semanas. Vamos tomar um café, disse.

Não tenho telefone, falei. Se não estiver no parque, por favor, bata na porta. Geralmente estou em casa. Se não ouvir sobre você vou tentar ser atropelado e lá estará você.

Eu a senti olhando para mim. Esperei que estivesse sorrindo.

OK, Sr. Homer, disse ela, apertando minha mão. Até nosso próximo encontro.

QUANDO LANGLEY VOLTOU eu lhe contei sobre Jacqueline. Outra maldita repórter, disse ele.

Não exatamente uma repórter, falei. Uma escritora. Uma escritora francesa.

Não sabia que tínhamos chegado tão longe quanto a jornais europeus. O que foi você, a "entrevista-com-o homem-da-rua"?

Não foi nada disso. Tivemos uma conversa séria. Convidei-a a entrar e ela se recusou. Que repórter faria isso?

Era difícil tentar explicar a Langley: era uma outra mente — não a dele, não a minha.

Ela é uma mulher com os pés no mundo, falei. Fiquei muito impressionado.

Parece que sim.

É divorciada. Não acredita no casamento. Um filho na escola.

Homer, você sempre foi suscetível às mulheres, sabia disso?

Quero cortar o cabelo. E talvez comprar um terno novo numa dessas lojas de liquidações. E preciso comer mais. Não gosto de ser tão magro assim, falei.

HORAS DEPOIS LANGLEY me encontrou ao piano. Ela o ajudou a atravessar a rua? perguntou.

Sim, e tive muita sorte, falei.

Você está bem? Não é do seu feitio se enganar no trânsito.

Desde que transformaram a Fifth Avenue em mão única, virou um problema, falei. É um som mais pesado, mais congestionado, com menos intervalos, e vou ter de me acostumar a ele.

Não é do seu feitio, meu irmão disse, e deixou a sala.

NATURALMENTE NÃO PUDE esconder de Langley meu problema de audição — ele o havia detectado quase imediatamente. Não falei nada a respeito, não me queixei, sequer o mencionei, nem ele. Tornou-se simplesmente um entendimento mudo, uma questão carregada demais de angústia para ser comentada. Se Langley tinha qualquer instinto para cuidar disso não ia ser com uma de suas inspirações médicas malucas. Eu era cego havia tanto tempo que seu regime de laranjas e sua teoria de cones e bastões regenerados por meio de vitaminas e de treinamento tátil... bem, tudo aquilo jazia parte de sua natureza de autoexpressão, e eu me pergunto se algum dia chegou a significar mais que uma espécie de impulso do tipo "não temos nada a perder" ou se era mais uma manifestação de amor por seu irmão do que qualquer convicção de que algum bem resultaria daquilo. Mas talvez eu o julgue mal. Com minha audição começando a sumir, ele naturalmente não sugeriu que fôssemos visitar um médico e eu mesmo sabia que não adiantaria nada, não mais do que, anos antes, o que resultara de uma visita a um oftalmologista. Eu tinha minhas próprias teorias médicas, talvez por uma disposição por ser filho de médico, mas acredito que meus olhos e meus ouvidos estavam em alguma associação íntima, eram partes análogas de um sistema sensorial em que tudo se conectava com tudo, e assim eu sabia que o que tinha sido o destino de minha visão também se passaria com minha audição. Sem qualquer senso de autocontradição também me persuadi de que a perda de audição se estabilizaria muito antes de sumir completamente. Resolvi ser esperançoso e animado e, nesse estado de espírito, esperei a volta de Jacqueline Roux. Pratiquei algumas de minhas melhores peças com a vaga ideia de que de certo modo eu tocaria para ela. Langley estudava os livros na biblioteca médica de nosso pai em silêncio — livros provavelmente ultrapassados em muitos aspectos devido à sua idade —, mas um dia ele encostou um pequeno pedaço de metal contra a minha cabeça logo atrás da orelha para ver minha reação e perguntou se havia alguma diferença — apertando-o contra o osso atrás da orelha e depois liberando a pressão e depois apertando de novo. Disse que não, e esse foi o fim daquele modesto experimento.

Quando os meses passaram e não tive notícias de Jacqueline Roux, comecei a pensar nela como um acidente exótico, no mesmo sentido em que os observadores de pássaros com os quais tinha conversado nos últimos anos no parque me informaram que pássaros descobertos fora de seu alcance normal — uma espécie tropical, por exemplo, dando numa praia da América do Norte — são chamados de "acidentais". Então talvez Jacqueline Roux fosse uma francesa acidental que acabara pousando na calçada em frente de nossa casa numa rara aparição.

Não podia deixar de me sentir decepcionado. Reconstituí nossa conversa aquele dia no parque e me perguntei se, com alguma artimanha de escritora profissional, ela me dera corda e eu seria retratado em seu jornal francês como um idiota completo. Talvez eu tivesse ficado tão grato por ser tratado como uma pessoa normal que me encantara exageradamente por ela. À medida que o tempo passava e Langley ficava cada vez mais ocupado com a guerra movida contra nós por quase todo mundo, ela, Jacqueline, começou a figurar em meu pensamento como alguém com ideias estrangeiras excêntricas que não tinham lugar em nosso mundo belicoso. Os cortes de cabelo que encarei e o terno novo que comprei antecipando seu retorno eram como quaisquer outras fantasias por mim nutridas. Quão patético... pensar que havia alguma possibilidade em minha vida deficiente para uma relação normal fora da casa dos Collyer.

Fiquei tão magoado com a decepção que não podia mais pensar feliz em Jacqueline Roux. Havia venezianas mentais também, e as minhas estavam bem-trancadas quando voltei para aquilo em que podia depender, o laço filial.

A ESSA ALTURA, meu irmão também estava no fundo do poço. Somente uma coisa tão decisiva como pagar uma hipoteca podia jogá-lo ali. Enquanto eu estava aliviado por não precisarmos mais nos preocupar em perder nosso lar, ele encarava a amortização militarmente, como uma derrota. Eu tinha considerado elogiável sua fleuma em lidar com o banco, mas ele só podia pensar no resultado final: o dinheiro tinha ido embora. Com isso, ele estava deprimido e não era boa companhia. Os jornais continuavam sem ser lidos. Ele voltava de suas expedições de coleta noturna de mãos vazias.

Eu não sabia o que fazer diante da mudança nos acontecimentos. Afirmei, com o fim de alegrá-lo, que achava que minha audição estava melhor — uma mentira. O rádio portátil em minha mesa de cabeceira deixara de funcionar, o que era de se esperar de sua idade avançada — era um daqueles primeiros modelos portáteis pesados com uma alça para se carregar, um grande avanço técnico em rádios cinquenta anos antes de se imaginar que uma praia ou um gramado fossem os lugares ideais para se ouvir os noticiários. Pode trocar isso? perguntei, achando que aquilo o tiraria de casa, levando-o a uma de suas expedições. Nada.

Por um golpe perverso de sorte, porém, numa manhã foi entregue uma carta registrada de uma firma representando a "Con Edison" — o novo nome-fantasia da Consolidated Edison Company, que nós achamos apropriadamente confessional e autodefinidor.* Eu queria expressar minha gratidão àquelas pessoas: enquanto Langley lia em voz alta a carta magnificamente rude e ameaçadora, eu podia senti-lo levantando-se de seu sono como um leão. Dá para acreditar nisto, Homer? Algum desgraçado funcionário jurídico ousando se dirigir aos Collyer desta maneira?

Nossa luta com a prestadora de serviços se estendera por anos, dada a nossa prática de pagar contas de uma maneira inconstante por uma questão de princípios, e agora, com a melancolia nebulosa de Langley subitamente se dissipando, vi tudo voltando ao normal. Andando pela casa e praguejando seu ódio imorredouro pelo eletromonopólio, como o chamava, preparou-se para mandar de volta a carta com suas correções gramaticais num pacote caprichado de vários anos de contas não pagas, somando ao todo, gabava-se, um bom peso. Homer, diria para mim depois, senti-me privilegiado por pagar pelo selo.

Nunca mais seríamos submetidos a intimidações da Con Edison porque bruscamente as luzes se apagaram. Soube disso porque estava à espera de que a cafeteira elétrica terminasse seu ritual quando gorgolejou, cuspiu

---

* Em inglês, *con* significa "vigarista, trapaceiro." (*N. do E.*)

um pingo de água quente no meu rosto e morreu. Fôramos liberados, embora sem luz. Aparentemente alguns frágeis raios atravessavam as frestas das venezianas, mas não o suficiente para Langley encontrar quaisquer velas. Tínhamos um bom suprimento de velas de todo formato e tipo, de velas de mesa de jantar a velas sacramentais em frascos, mas é claro que estavam embaixo de alguma coisa, em algum lugar da casa, e, embora eu pudesse me movimentar mais facilmente do que Langley, nenhum de nós lembrava sequer por onde começar a procurar; assim, foi necessário um investimento. Ele saiu e comprou lanternas marítimas, lanternas de exploração, lanternas de busca com cabos compridos, lanternas de propano, lanternas de mercúrio, lanternas de furacão, lanternas de bolso, lâmpadas de alta intensidade sobre hastes e para o hall superior, com sua janela ogival de igreja, uma lâmpada de sódio movida à bateria que acendia automaticamente quando o dia escurecia. Desencavou até uma velha lâmpada sussurrante de luz ultravioleta para bronzear a pele, que usamos certa vez para manter vivas as plantas de nossa mãe, queimando-as mortalmente no processo, e tudo o que sobrou de seu amado viveiro foram pilhas de vasos de argila e a terra que guardavam.

Quando essas luzes foram acesas por toda a casa, imaginei grandes sombras avultando-se, anguladas em diferentes direções, algumas espalhando-se pelo chão e saltando os fardos de jornais, outras projetando-se até o teto para iluminar cada gota de um vazamento particular. Não muito tinha mudado na medida que me concernia e fui diplomático o bastante para não perguntar a Langley o custo inicial de nosso investimento em energia independente — para não mencionar as despesas futuras com a troca de baterias. A questão principal aqui era a nossa autodependência, e fiquei feliz por não termos encontrado as velas, que, em nossos aposentos congestionados, sem dúvida teriam ateado fogo em algo — nos amontoados de colchões, nos fardos de jornais, nas pilhas de engradados de madeira em que vinham minhas laranjas, em velhas tapeçarias penduradas, livros esparramados, flocos de poeira, a poça congelada de óleo sob o Ford Bigode, sabe Deus o que mais — e nos rendido uma nova visita dos bombeiros, com suas mangueiras desenfreadas.

Então, como se inspirada pela malévola companhia elétrica, a cidade cortou nossa água. Langley saudou o revés com alegria. E eu me vi participando com uma espécie de deleite sinistro no sistema que estabelecemos para nos abastecer de água. O hidrante na calçada não era uma saída — não se podia circunspectamente digladiar-se com um hidrante. Que impulso psicológico para mim, então, trabalhar com meu irmão, um colega de conspiração, ao partirmos antes do amanhecer, dia sim dia não, com dois carrinhos de bebê atrelados um no outro, o dele com uma lata de leite de 10 galões adquirida havia muito com a ideia de que um dia nos seria útil, e eu com uns dois engradados cheios de garrafas de leite vazias, coletadas de nossa escadaria quando o leite era entregue toda manhã em nossa porta com 3 ou 4 centímetros de creme no gargalo da garrafa.

Poucos quarteirões ao norte de nós havia um velho abastecedor, dos dias em que havia água disponível para os cavalos. Este aguadeiro, uma torneira de grosso calibre embutida num muro de pedra baixo e côncavo cuja base era uma calha de cimento, ficava na calçada. Langley encostava o carrinho na calha e posicionava a lata de leite num ângulo embaixo da torneira de modo que não precisasse erguê-la do carrinho. Quando a lata se enchia, nós abastecíamos cada uma das garrafas e a fechávamos com papel-alumínio. A viagem de volta era a parte mais difícil, a água pesando muito mais do que eu teria imaginado. Para evitar os meios-fios ao final de cada quarteirão, seguíamos pela rua. Não havia carros a essa hora. Eu vinha na rabeira da procissão mantendo o capuz do carrinho colado às costas de Langley. Acho que ambos desfrutávamos uma espécie de animação infantil ali à primeira luz da manhã, quando ninguém estava fora de casa exceto nós, e o frescor do ar era levado por uma brisa suave com cheiro de paisagem rural, como se não estivéssemos empurrando nossos carrinhos pela Fifth Avenue, mas por uma estrada rural.

Trazíamos nosso contrabando para casa pela porta do porão, sob a escada da frente. Tínhamos água suficiente para beber e todas as nossas refeições a partir de então seriam feitas em pratos de papel e utensílios descartáveis de plástico, embora não os jogássemos fora exatamente, mas a água para a descarga do vaso e para tomar banho era outra questão. Tentamos colocar em funcionamento o banheiro dos hóspedes, no andar térreo, pois os banheiros dos andares de cima havia muito tempo serviam também como depósito. Mas banhos de esponja eram a ordem do dia e, depois de umas duas semanas carregando água, a sensação de triunfo, de termos enfrentado as autoridades municipais cedera às duras realidades de nossa situação. Claro que havia um bebedouro comum não muito longe no parque em frente à nossa casa, que usamos para encher nossas garrafas térmicas e os cantis militares, embora às vezes, quando o tempo ficava mais quente, tivéssemos de esperar nossa vez enquanto bandos de crianças com um interesse perverso por bebedouros fingiam estar com sede.

Não sei se algumas daquelas crianças que começaram a jogar pedras contra nossas venezianas eram as mesmas que tinham nos visto buscar água no parque. O mais provável é que a história tenha se espalhado. Crianças são portadoras de superstições maldosas, e nas mentes dos delinquentes juvenis que tinham começado a apedrejar nossa casa, Langley e eu não éramos os reclusos excêntricos de uma família antigamente próspera como a imprensa descrevia: tínhamos nos metamorfoseado, éramos os fantasmas que assolavam a casa em que outrora havíamos morado. Incapaz de me ver ou de ouvir meus passos, eu estava começando a concordar com a ideia.

Em ocasiões imprevisíveis ao longo do verão o ataque começaria, a operação planejada e o arsenal coletado de antemão, porque os golpes, as pancadas e os estrondos vinham como num fogo de barragem. Eu podia senti-los. Às vezes ouvia os gritos de *bel canto*. Calculava suas idades entre 6 e 12 anos. Nas primeiras vezes, Langley cometeu o erro de sair para o alto da escadaria e sacudir o punho no ar. As crianças se dispersaram com gritos de deleite. E assim, da vez seguinte havia ainda mais crianças, e ainda mais pedras foram atiradas.

Não pensamos em chamar a polícia, nem eles jamais apareceram por vontade própria. Ficamos calmos e suportamos os ataques como se esperaria pelo fim das chuvas de verão. Então agora são até os filhos deles, disse Langley, presumindo que as pequenas bestas moravam nas casas vizinhas e podiam ter se inspirado na opinião que seus pais tinham de nós. Eu disse que, no meu entendimento, pessoas da classe dos nossos vizinhos mais próximos não eram dadas a procriar. Disse que achava que era um recrutamento mais amplo e que a área de operação das crianças era provavelmente o parque. Quando um dia as pedras pareceram ter um impacto mais pesado e eu ouvi um grito num registro mais grave, pós-pubescente, Langley ergueu uma lâmina da veneziana, deu uma espiada e me informou que alguns deles eram facilmente adolescentes. Então você tem razão, Homer, isso pode abranger toda a cidade, e podemos ter o raro privilégio de uma visão antecipada dos novos cidadãos do milênio.

Langley começou a pensar numa retaliação militar. Tinha colecionado algumas pistolas ao longo dos anos e decidiu pegar uma e ficar no alto da escadaria e apontá-la para os valentões e ver o que acontecia. Claro que não está carregada, alegou. Eu disse que ele podia fazer aquilo — ameaçar crianças com uma arma de fogo —, e eu ficaria feliz em visitá-lo na prisão se conseguisse chegar lá. Não estava inclinado a me preocupar com os apedrejadores. As venezianas tinham sido bastante castigadas e parte da fachada de arenito estava lascada, mas eu sabia que as crianças desapareceriam quando ficasse mais frio, como de fato o fizeram, pois aquilo era estritamente um esporte de verão e em pouco tempo os golpes das pedras nas venezianas foram substituídos pelos ventos outonais soprando através delas e sacudindo nossas vidraças.

MAS UMA NOITE algo que Langley me dissera voltou-me à mente quando tentava dormir. Ele disse que tudo o que era vivo estava em guerra. Fiquei a imaginar se a diminuição de meus sentidos, mesmo quando eu estava aterrorizado por uma consciência crescente que lentamente desalojava o mundo fora de minha mente, enfim, se era possível que eu estivesse me tornando progressivamente alheio à verdade de nossa situação, à sua magnitude, protegido em minha própria insensibilidade do pior de suas imagens e de seus sons. Ao refletir, o apedrejamento de nossa casa por crianças, em vez de ser um episódio incidental a nossas preocupações maiores — nosso isolamento gradual, a perda, por nossa própria causa ou por causa de outros, dos serviços comuns da civilização urbana, sem água corrente, quero dizer, sem gás, sem eletricidade...

o fato de nos descobrirmos num círculo de animosidade que partia em ondas de nossos vizinhos para nossos credores, para a imprensa, para a municipalidade e, finalmente, para o futuro, pois isso é o que aquelas crianças eram, se, em vez de ser um evento de importância menor, não seria, na verdade, o golpe mais devastador de todos. Pois o que podia haver de mais terrível do que ser transformado numa piada mítica? Como poderíamos nos sair, uma vez mortos e desaparecidos, sem ninguém disponível para resgatar nossa história? Meu irmão e eu estávamos no fim, e ele, tendo os pulmões comprometidos e estando meio louco, sabia disso melhor do que eu. Cada ato de oposição e afirmação de nossa autossuficiência, cada instância de nossa criatividade e expressão resoluta de nossos princípios estava a serviço de nossa ruína. E ele, à parte de tudo aquilo, tinha como fardo cuidar de um irmão cada vez mais deficiente. Não o criticarei então pela paranoia daquele inverno, quando começou a organizar, a partir do ajuntamento de materiais da nossa vida nesta casa — como se tudo aqui tivesse sido amontoado em resposta a uma inteligência profética —, os recursos de nossa última resistência.

Nos velhos tempos havia outro poeta que ele gostava de citar: "Eu sou eu, e que diabos posso fazer a respeito!... Eu, o solene investigador das coisas inúteis."

Minha reação foi apressar minha escrita diária. Eu sou Homer Collyer e Jacqueline Roux é minha musa. Embora, em meu estado enfraquecido, não tenha certeza se ela chegou a voltar, como disse que voltaria, ou se apenas precisei da ideia dela para começar este texto, um projeto comparável, em sua amplitude, ao jornal de Langley. A esta altura não posso ter certeza de nada — do que imagino, do que me lembro —, mas ela voltou, estou quase seguro disso, ou vamos dizer que voltou, e que a encontrei na porta de casa, tendo sido cuidado e tornado aceitável em aparência por meu compreensivo irmão. Sentado no frio desta casa, sinto o calor de um saguão de hotel. Jacqueline e eu jantamos. Há uma lareira, arranjos de poltronas estofadas, mesinhas baixas para drinques e um pianista tocando clássicos. Lembro-me deste, da época de nossos chás dançantes: "Strangers in the Night". Posso dizer, pela dureza do toque, que é um pianista de formação clássica tentando ganhar a vida. Jacqueline e eu rimos da canção escolhida — a letra descreve estranhos que trocam olhares, o que não é possível entre nós, e terminam como amantes para a vida. Isso também é engraçado, embora de um modo que sufoca a risada em minha garganta.

Então, na segunda taça do melhor vinho que já provei, sinto-me impelido a sentar ao piano depois que o músico contratado se retira. Toco Chopin, o "Prelúdio em Dó Sustenido Menor", porque é uma peça lenta de acordes densos que consigo dominar razoavelmente, não sendo capaz de ouvi-la muito bem. Então cometo o erro de embarcar em "Jesus, Alegria dos Homens", que exige uma mão direita digitalmente sinuosa: um erro, porque eu entendo, pelo cutucão em meu ombro — é o pianista profissional me interrompendo —, que estou fazendo a sequência como Bach a escreveu, mas que comecei pela tecla errada. É como um arremedo de Bach. Sou corrigido e termino mais ou menos bem, mas sou levado de volta a Jacqueline em total humilhação, que tento disfarçar com risadas. O que o vinho é capaz de fazer!

No quarto dela confesso minha desgraça, um cego em processo de ficar surdo.

Segue-se uma generosa conversa — prática, como se fosse um problema a ser resolvido. Por que não escrever, então, sugere ela. Existe música nas palavras, e ela pode ser ouvida, você sabe, pelo pensamento.

Você não está me convencendo.

Sabe, Sr. Homer? Você pensa numa palavra e pode ouvir seu som. Estou lhe dizendo o que sei — as palavras têm música, e, se você é músico, você as escreverá para ouvi-las.

A ideia da vida sem minha música é intolerável para mim. Fico de pé e começo a caminhar. Tropeço e alguma coisa cai, uma luminária de chão. Uma lâmpada explode. Jacqueline segura meu braço e me faz sentar na cama. Senta-se a meu lado e segura minha mão.

Eu digo a ela, Talvez seu francês tenha música e por isso você ache que toda língua é musical. Não ouço música em minha fala.

Não, você está errado.

Nada tenho a dizer. Dado quem sou, o que existe para se escrever a respeito?

Sua vida, claro, diz ela. Exatamente quem você é. Sua vida do outro lado do parque. Sua história, que justifica as venezianas negras. Sua casa, que é uma atração maior que o Empire State Building.

E isso é tão doce e tão intimamente engraçado que não posso conter meu desespero. Ele é superado, e nos pomos a rir.

Ela me deixou tirar seus óculos. E então os tremores de reconhecimento enquanto deitamos juntos. Esta mulher que eu mal conhecia. Quem éramos nós? Cegueira e surdez eram o mundo, não existindo nada fora de nós. Não me lembro do sexo. Senti seu coração batendo. Lembro-me de suas lágrimas sob nossos beijos. Lembro-me de segurá-la em meus braços e de absolver Deus da ausência de sentido.

Sou agradecido por Langley desde o início ter me encorajado a escrever, em substituição a minha música. Teria ele recebido tais instruções de Jacqueline Roux? Ou apenas imagino uma conversa em que ele foi, fugindo a suas características, respeitoso e submisso enquanto ela delineava o novo plano para minha vida? O fato é que Langley abraçou a missão de me manter escrevendo. A certa altura minha máquina de escrever quebrou e ele a levou para uma loja de consertos na Fulton Street. Mas eu tive de esperar duas semanas para que o reparo fosse feito, então ele providenciou para que eu tivesse outra máquina em braille — duas, na verdade: uma Hammond e uma

Underwood, e assim eu pude continuar. Com as três máquinas instaladas nesta mesa e resmas de papel num engradado no chão a meu lado, sou um privilegiado. É para ela que escrevo. Minha musa. Se ela não voltar, se nunca a encontrar de novo, eu a tenho em minha contemplação. Mas ela prometeu ler o que eu tiver escrito. Vai ter de perdoar os erros de ortografia e gramática e de datilografia. Escrevo em braille, e supõe-se que o texto saia em inglês.

Estou nisso já faz algum tempo. Não tenho uma noção clara de quanto tempo. Sinto a passagem do tempo como algo espacial, à medida que a voz de Langley se torna cada vez mais fraca, como se ele caminhasse por uma estrada longa, ou como se estivesse sumindo no espaço, ou como se qualquer outro som que não consigo ouvir, uma cascata, tenha apagado suas palavras. Por um tempo eu ainda podia ouvir meu irmão quando ele gritava em meu ouvido. Naquela época ele criou um conjunto de sinais: ele toca em mim uma vez, duas, três vezes no braço para significar que me trouxe algo para comer, ou que é hora de ir para a cama, ou outras questões básicas da vida cotidiana. Mas mensagens mais complicadas ele me comunica colocando meu dedo indicador nas teclas braille e montando as palavras. Para fazer isso, ele teve de aprender braille, o que fez com muita eficiência. Assim, eu sei das notícias brevemente, como numa manchete.

Mas por algum tempo agora, tenho vivido em silêncio total, e por isso quando ele se aproxima e me toca no braço eu às vezes levo um susto, pois penso nele sempre a distância, alguém pequeno e distante, e subitamente ele está parado ali de pé, agigantando-se como uma aparição. É quase como se a realidade fosse sua distância de mim e a ilusão, sua presença.

Escrever coincide com meu desejo compensatório de ficar vivo. Por isso eu me ocupei à minha maneira enquanto meu irmão segue reconstruindo os materiais achados dentro da casa numa máquina infernal. Usei a palavra *paranoia* para descrever o que ele fez com este acúmulo de décadas. Mas, na verdade, quase com a primeira melhora no tempo, ele me diz que um invasor tentou entrar pela porta dos fundos à noite. Em outra ocasião ele sinalizou que tinha ouvido alguém se movimentando sobre o telhado. Suponho que podíamos antecipar mais do gênero: vários jornais desde o início de suas reportagens sobre nós sugeriram que os Collyer, desconfiados dos bancos, guardavam enormes quantidades de dinheiro escondidas em sua casa. E para aqueles moradores de rua ou invasores de domicílios que não leem os jornais, nosso prédio obscuro e decadente era um convite aberto.

UMA COMPLICAÇÃO SURGIU. A estratégia defensiva de Langley tornou perigoso, se não impossível, para mim, tentar sair tateando pela casa. Para todos os propósitos práticos, sou um prisioneiro. Estou situado agora dentro das portas da sala de estar com apenas uma trilha até o banheiro de sob as escadas. Langley também sofre restrições. Instalou-se na cozinha com acesso para dentro e para fora da casa pela porta dos fundos que dá para o jardim. O hall de entrada está completamente bloqueado com caixas de livros empilhadas até o teto. Uma passagem estreita entre fardos de jornais e ferramentas de jardinagem penduradas — pás, ancinhos, uma furadeira, um carrinho de mão, tudo suspenso no ar por arames e cordas presos a espigões que ele cravou com martelo nas paredes — leva de seu posto avançado na cozinha até meu enclave. Ele traz minhas refeições por essa passagem em forma de túnel. Diz-me que navega com uma lanterna de mão sobre os arames das armadilhas esticados à altura do tornozelo de parede a parede.

Minha cama é um colchão no assoalho ao lado de minha mesa de datilografia. Tenho também um pequeno rádio transistor que encosto ao ouvido, na esperança de ouvir algo um dia. Sei que é primavera somente por causa da suavidade do ar e porque não preciso mais usar os pesados suéteres do inverno ou me enfurnar embaixo das cobertas à noite. O quarto de Langley é a cozinha e ele dorme, quando consegue, na grande mesa que certa vez recebeu nosso amigo gângster, Vicent.

Meu irmão se deu ao trabalho de descrever as ciladas e armadilhas que montou nos outros aposentos da casa. Tem muito orgulho do que fez. Às vezes coloca meu dedo nas teclas braille pelo que parecem horas. Nos andares de cima ele empilhou as coisas de maneira piramidal para que o menor toque em qualquer coisa — pneus de borracha, uma panela de pressão de ferro, manequins de costureira, gavetas de escrivaninhas vazias, barris de cerveja, vasos de flores; eu quase sinto prazer em visualizar as possibilidades —, e todo o amontoamento cairá sobre o intruso, o invasor mítico, o objeto dos estratagemas de Langley. Cada quarto tem seu próprio projeto de punição feito a partir de nossas coisas. Tábuas de lavar cobertas de sabão são colocadas no chão para derrubar os incautos. Está constantemente ocupado na verificação dos pesos, das ciladas e armadilhas até se assegurar de que estão perfeitos. Um de seus problemas são os ratos que agora saíram das paredes. Passam por aqui e roçam meus pés regularmente. Ele está em guerra com os ratos. Golpeia-os com uma pá ou pega seu velho rifle do Exército do alto da lareira e os ataca a coronhadas. Às vezes penso ouvir algo do que está acontecendo. Uma vez ou duas um rato cai em suas armadilhas. Para cada rato morto ele traça uma marca invisível em meu braço.

COM TUDO ISSO, minha sensação é de um fim a esta vida. Lembro-me de nossa casa como era em nossa infância: uma elegância gloriosa imperava calma e festiva ao mesmo tempo. A vida fluía livre de medo pelos quartos. Nós, garotos, corríamos um atrás do outro, descendo as escadas, entrando e saindo dos cômodos. Provocávamos as criadas e éramos provocados por elas. Ficávamos maravilhados com os espécimes nas jarras de nosso pai. Quando meninos, sentávamos nos tapetes grossos e empurrávamos nossos carrinhos de brinquedo ao longo de seus desenhos. Eu tinha minhas aulas de piano na sala de música. Espiávamos do saguão para os jantares festivos esplendorosos à luz de velas de nossos pais. Meu irmão e eu podíamos correr pela porta, escada abaixo, e cruzar o parque como se fosse nosso, como se a casa e o parque, ambos banhados pelo sol, fossem um.

E quando perdi a visão ele passou a ler para mim. Existem momentos em que não posso suportar esta consciência infatigável. Ela só conhece a si mesma. As imagens das coisas não são as coisas em si. Acordado, estou num transe com meus sonhos. Sinto que minhas máquinas de escrever, minha mesa, minha cadeira têm aquela segurança de um mundo sólido, onde as coisas ocupam espaço, onde não existe o vazio interminável do pensamento insubstancial que não leva a lugar algum a não ser a si mesmo. Minhas lembranças empalidecem à medida que eu predomino sobre elas cada vez mais. Tornam-se cada vez mais fantasmagóricas. Nada receio mais do que perdê-las totalmente e ficar apenas com minha mente vazia interminável como companhia. Se eu pudesse ficar louco, se eu pudesse trazer a loucura para mim, eu talvez não soubesse o quanto estou perdido, como é terrível esta consciência que é irremediavelmente consciente de si mesma. Com somente o toque da mão de meu irmão para saber que não estou sozinho.

JACQUELINE, HÁ QUANTOS dias estou sem comida? Houve um estrondo, a casa inteira tremeu. Onde está Langley? Onde está meu irmão?

Este livro foi composto na tipologia Adobe Caslon Pro,
em corpo 12/16,3, e impresso em papel off-white 80g/m²
no Sistema Cameron da Divisão Gráfica
da Distribuidora Record.